エリザベス一世

大英帝国の幕あけ

青木道彦

講談社現代新書

はじめに

太平洋戦争直後に小・中学校教育を受けた世代には、日本の民主化のあるべきモデルはイギリスとアメリカの民主政治であると教えられた人も多いと思う。

イギリスでは革命を経た一七世紀末に議会政治が一応定着したが、その後のイギリスの政治はそんなに模範的な民主政治だったのだろうか？　このような疑問があったので、筆者は、その出発点となったイギリス革命を大学で研究テーマに選んだが、イギリス革命を理解するためにはどうしても、その前のテューダー朝時代、とりわけエリザベス一世の時代状況を知ることが不可欠であることがわかってきた。

イギリス史上、エリザベス一世の治世ほど華やかで冒険に満ちた時代はないが、とりわけエリザベスその人が魅力的である。母は断頭台で刑死という逆境に育ったにもかかわらず女王となり、超大国スペインの大艦隊を撃滅して西欧世界を驚かせたばかりか、当代きっての才媛であり、数多くの求婚者をあしらいつくした処女王であり、また恋する女性でもあった。一方で、スペインの大使が「一〇万の悪魔が巣くった女性」と評したように、政略にも人心操縦にも巧みな手腕を発揮した裏表のある人物でもあった。

エリザベス一世はたしかに魅力あふれる人物であるが、その彼女をつくったのは当時のイギリス社会と時代でもある。個人とその人が生きた時代の双方を知ることによって、はじめて私たちは歴史上の人物の実像をとらえることができるであろう。そこで本書では、エリザベス一世が生きた時代、彼女が直面した難局を読者に知っていただくために、ヨーロッパの国際関係、新旧両教徒の激しい対立をかなりくわしく説明した。

また、この時代の農業も含めたイギリス産業の発展も説明してみた。経済の停滞を脱却しようとする努力の中で、将来の大英帝国につながるイギリスの底力が養われたと思ったからである。

一九九九年秋には、エリザベス一世を主人公にしたイギリス映画が日本で封切られたためか、彼女をテーマにした書物が刊行されたり復刊されたりした。この映画そのものは当然のことながらかなりのフィクションを使っている。映画や小説で歴史上の人物を描くとき、フィクションがあるのは当然であって、歴史家が目くじらを立てるべきものでもない。ただそうしたフィクションが、単に話を面白くするためのものなのか、それとも、その時代や人物を史実以上に巧みに描きだすためのものなのかが問題であろう。

本書ではフィクションをまじえないエリザベス一世の実像へと読者をお誘いしよう。映画をごらんになった方も、映画で用いられたフィクションがどの程度のものであったか、ご自分で判断なさるよりどころに本書がなれば幸いである。

目次

プロローグ

「馬だ、馬をくれ！　馬のかわりに王国なんぞくれてやる！」

——ボズワースで敗れたリチャード三世の叫び（シェイクスピア「リチャード三世」より）

大英帝国への出発点

一四八五年、ヘンリ・テューダーはボズワースの戦いに勝利をおさめ、大貴族が王位をめぐって三〇年にわたり争ったバラ戦争に終止符をうつと、自らイングランド国王ヘンリ七世となった。このことはシェイクスピアの名作「リチャード三世」に鮮やかに描かれている。

ここに成立したテューダー王朝は、一六〇三年のエリザベス一世の死によって幕をとじる三世代でわずか五人の国王による一二〇年間にみたぬ王朝であったが、いろいろな意味で後の大英帝国へ発展する基礎がつくられた時代であった。この時代のイングランドは、英仏海峡によって大陸とへだてられた一島国にすぎず、スペイン、フランスという当時の二大強国の間にあって、その苦悩や困難は小さくはなかった。

小国イングランドが大国へと発展する出発点をつくったのがテューダー朝第二代のヘンリ八世であり、その娘として生まれ数奇な運命の中から王位につき、やがてイングランドをヨーロッパの一大強国に飛躍させたのがエリザベス一世である。

二人のエリザベス女王

一九五二年、現在のエリザベス二世が即位するまで、イギリスには「エリザベス一世」というよび方はなく、たんに「エリザベス女王」とよばれていた。

女王の治世にはイギリスが繁栄すると信じられていたのは、一六～一七世紀のエリザベス一世の時代は「栄光の時代」、一九～二〇世紀のヴィクトリア女王の時代は「大英帝国の全盛期」とみられていたからであろう。エリザベス二世の即位は、第一次、第二次の両世界大戦で疲弊《ひへい》したイギリスに新しい意味での栄光の時代が到来することを、国民に期待させたようである。

現在までのエリザベス二世の治世はすでに五〇年に近く、エリザベス一世の四四年余りの治世（一五五八～一六〇三年）をしのぐ長さになった。この間にイギリスが大英帝国の栄光を回復したわけではないが、二〇世紀末の世界にかなり巧みに適合して「良く老いていった大国」になったともみられており、一九九〇年代の経済の復調や新しい形の労働党政権も世界の注目を集めている。

二人のエリザベス女王の治世は四〇〇年ほど離れていて時代背景もまったく異なり、簡単に比較することはできないが、即位にいたるまでの経緯には似ている点がないわけでもない。

二人とも誕生の時には王位継承者とはみられていなかったし、彼女らの父王はその前の国王の長男でもなかった。かなり偶然の成り行きで女王に即位することになったという点は、二人のエリザベスに共通している。

しかし二人の女王について決定的に違っているのは、その母親の運命である。エリザベス一世の母アン・ブーリンは男児出生の期待にこたえられなかったため、不義の汚名をきせられて断頭台に送られた。エリザベス二世の母は現在も一〇〇歳に近い高齢（一九〇〇年生まれ）ながら存命で、その元気な姿は「クィーン・マザー（王母）」として国民の敬愛を集めている。

エリザベス二世が王族の幸福な家庭で養育され、良き夫にも恵まれたのに対して、エリザベス一世は生母の処刑といった悲劇を体験したばかりか、幼少の頃から冷たい視線と複雑な人間関係の中で成長し、姉のメアリ一世の治世には自らの生命さえも危うくなる苦難と緊張を体験した。

女王に即位した後もエリザベス一世を支える夫もなく、苦境にあった当時の小国イングランドを四四年余りにわたって導いていったのである。

イギリス史の用語法

本書では、いわゆる「イギリス」を指す名称として、「イングランド」という語を使うことにしたい。テューダー朝時代には、現在のスコットランドは別の王朝の下にある別の王国であって、国境を接する両国は何度か戦火も交えたのである。いわゆるイギリスを指す「大ブリテン王国」は、正式には一七〇七年のイングランド、スコットランド両王国の合同によって成立したものである。

実際にはエリザベス一世の死後、スコットランドのステュアート朝のジェイムズ六世が、イングランド国王ジェイムズ一世ともなって、両国の同君連合が成立した後には「大ブリテン王国」の名称も使われていたようである。そうしたわけで本書の扱っている時代には、どうみてもイギリスという名称は適切ではないのである。

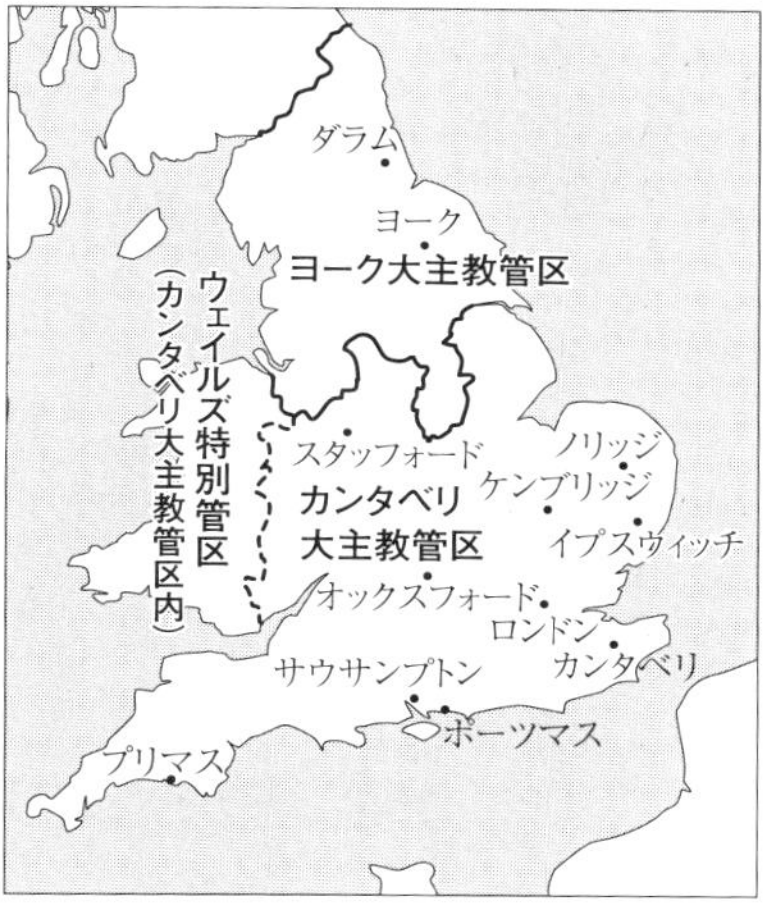

16世紀のイングランドと大主教管区

テューダー朝時代といえば、英国国教会の基礎が築かれた時代であるが、これに関連してややこまかい点ではあるが、日本語としての用語法の問題がある。

「ビショップ」「アーチビショップ」といえば、ローマ教会の長い歴史の中でつくられた高位の聖職者の職名であるが、わが国ではローマ教会については、これらに「司教（ビショップ）」「大司教（アーチビショップ）」の訳語をあてている。

英国国教会成立後にも、この職名はそのまま残ったのであるが、わが国ではその場合にはビショップに「主教」の、アーチビショップには「大主教」の訳語をあてることになっている。ヘンリ八世の国教会樹立の後にメアリ一世の旧教反動もあったために、本書の中では両方の用語がめまぐるしく交替する部分があることを、あらかじめお断りしておかなければならない。

日英関係のはじまり

テューダー朝時代のイングランドはユーラシア大陸を間にして日本と遠く離れており、二つの国の間には何の関係もないようにみえるが、実は日英関係の〈はじめの一歩〉が印されたのはエリザベス一世の治世末期のことなのである。

関ヶ原の戦いがおこる半年ほど前の一六〇〇年（慶長五年）四月、九州に漂着したオランダ船リーフデ号に乗っていた水先案内人ウィリアム・アダムズ（一五六四〜一六二〇年）こそ、わが国の土を踏んだ最初のイングランド人であった。彼がその後、徳川家康に仕え、三浦半島に居宅を与えられて三浦按針《みうらあんじん》（按針は、水先案内人のこと）と名乗ったことを日本史の授業で習われた読者も多いと思う。

アダムズは、少年時代にイングランドの造船所で働き、やがて水先案内人になった。船長としてイングランド艦隊で働いた後、オランダに渡ってリーフデ号を含む東洋遠征船隊の水先案内人をつとめていたのである。

彼は家康の外交顧問的な存在として、反カトリックのイングランド、オランダとの通商開始を側面から援助したほかに、経験をいかしてイングランド型の帆船を伊豆半島の伊東で建造したことでも知られている。

徳川幕府の鎖国政策によって日英関係はその後二〇〇年あまり途絶えることになったが、日本が開国した時、エリザベス時代は一小国であったイングランドは、ヴィクトリア女王の下に「七つの海に日が没することなき」大英帝国として世界の覇者に発展していたのである。

［テューダー王朝とその周辺の系図］

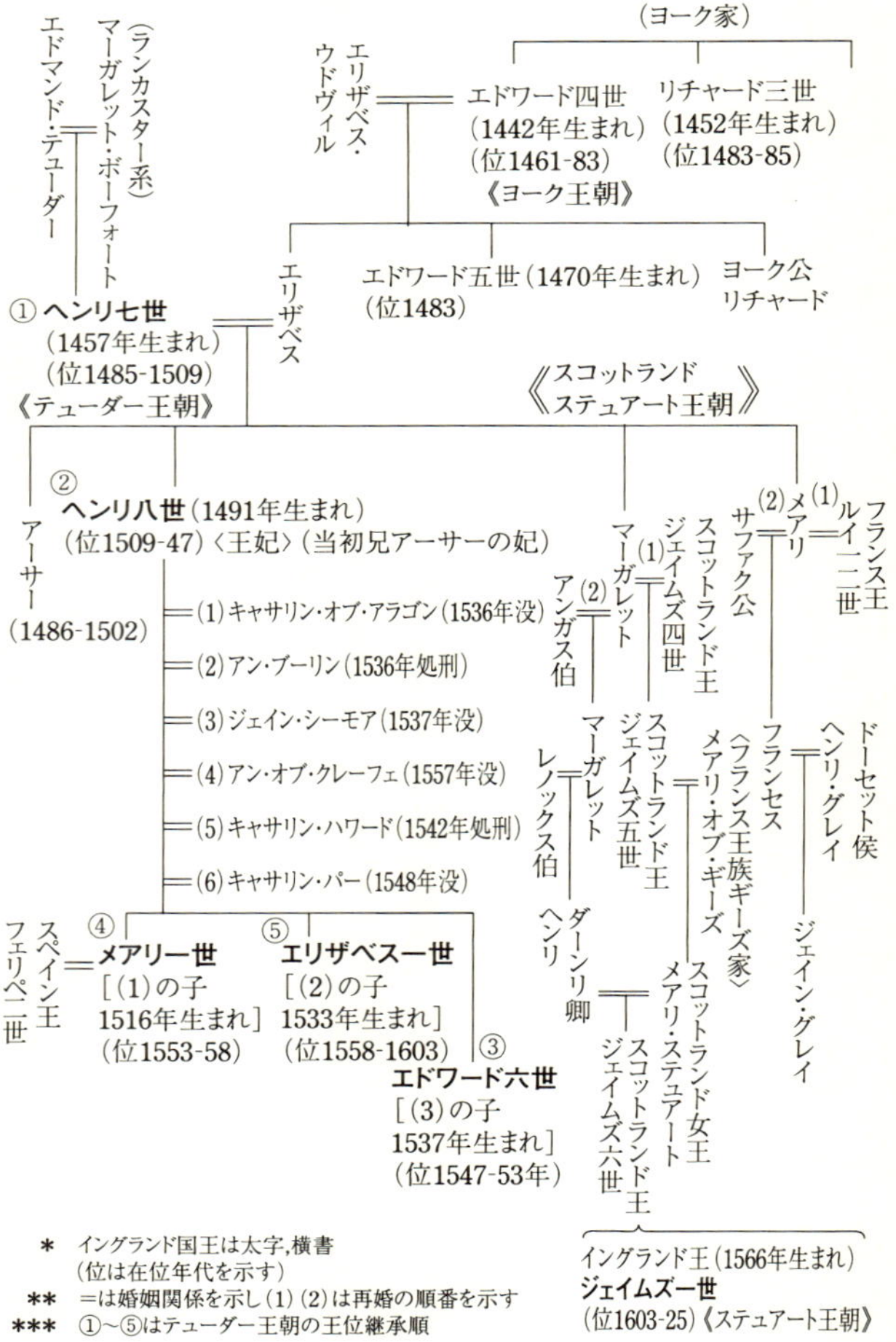

＊ イングランド国王は太字，横書
（位は在位年代を示す）
＊＊ ＝は婚姻関係を示し（1）（2）は再婚の順番を示す
＊＊＊ ①～⑤はテューダー王朝の王位継承順

[17世紀はじめまでのイングランドの時代と王朝]

時代または王朝	年　代	変化や王朝成立の契機
1 ケルト人時代	前7世紀〜(後)1世紀	ケルト人のブリテン島定住
2 ローマのブリタニア支配	1世紀〜5世紀はじめ	クラウディウス帝のブリテン島遠征
3 アングロ・サクソン時代	5世紀〜1066年	アングロ・サクソンのブリテン島進出
(アングロ・サクソン王朝)	(9世紀以降，統一王朝)	(エグベルトのイングランド統一)
4 ノルマン王朝	1066〜1154年	ノルマンディー公ウィリアムの征服
5 プランタジネット王朝	1154〜1399年	ノルマン王朝断絶，仏アンジュー伯即位
6 ランカスター王朝	1399〜1461年	ヘンリ四世が前王から王位を奪う
7 ヨーク王朝	1461〜1485年	バラ戦争においてヨーク家が勝利
8 テューダー王朝	1485〜1603年	ヘンリ・テューダーが前王を撃破
9 ステュアート王朝	1603〜1714年	エリザベス死去，テューダー王朝断絶

(注：本書では18世紀半ばまでイングランドで使われていた旧暦法を用いている)

第一章　王女エリザベスの誕生

「そのような噂は恥知らずな中傷です……このような汚名をそそぐためにも、わたくし自ら宮廷にまいることをお許しください」

――ハットフィールド館で摂政にあてたエリザベスの手紙から

一三歳頃のエリザベス

1　激動する一六世紀ヨーロッパ

解体する中世世界

まず地図の上で一六世紀のヨーロッパ全体を見渡してみると、ドナウ川流域以南の東欧南部にはオスマン帝国が進出して、ドイツ（神聖ローマ帝国）やリトアニア・ポーランド連合王国を脅かしていた。さらにその東には、モンゴルの支配から自立してビザンツ帝国の後継者を自任するモスクワ大公国があり、北欧にはデンマークを中心にスウェーデン、ノルウェー三国が結ぶカルマル同盟があった。

ヨーロッパ南西部のイベリア半島では、一五世紀末までにイスラム勢力に対する国土回復運動（レコンキスタ）を終えたスペイン、ポルトガル両国が、アジアや新大陸進出への先頭を切っていた。

一六世紀初めの西欧の人口は、最大のフランスで一五〇〇万、スペインが八〇〇万、イングランドはウェイルズも含めても三〇〇万ほどで、一四世紀にペストが大流行した以前よりも、西欧の人口は減少していた。

16世紀のヨーロッパ

一方、中世の西欧を統合していたローマ教皇の権威（教皇権）と神聖ローマ皇帝の権力（皇帝権）は、一四、一五世紀ともに衰退に向かい、各国の君主を中心とする中央集権が一五〜一六世紀には進んでいた。

教皇権、皇帝権といった普遍的・超国家的権威が崩壊した西欧では、諸国家間の激しい抗争が展開されていた。

「絶対王政」とは、従来いわれてきたような没落した封建勢力と新興市民層の均衡に基づく政治体制（この説明も英仏両国についてはある程度正しいが）であるよりも、むしろこうしたきびしい国家間の抗争に対応して、つねに国力を集中し得ることをめざす政治体制であったことを重視すべきであろう。

しかし西欧にも、君主中心の中央集権体制を確立し得なかったドイツ、イタリアのような国もあった。だがドイツでも、一五～一六世紀に皇帝マクシミリアン一世が「帝国改造計画」によって帝国体制の強化をはかり、諸侯や都市共和国に分裂して君主をもたなかったイタリアでも、マキャヴェリが君主による統一を熱望した事実がある。この時代には君主による国力集中の体制が、激しい国家間の抗争に備えて不可欠であったことを示すものと考えられる。

典型的な絶対王政を成立させた国としてつねにあげられるのが、ヴァロア朝のフランスである。百年戦争後の一五世紀半ばに、フランス国王は小規模ながら常備軍を創設して、しだいにこれを拡大し、官僚制の整備にも着手し、市民も官僚に登用していた。

ハプスブルク朝とヴァロア朝の抗争

このフランスのヴァロア朝が絶対王政の下にコンパクトな領土を統合し、西欧の一方の雄となっていたが、そのライヴァルで他方の雄であったハプスブルク朝は、これとまったく異なる「中世的帝国」ともいうべきものを形成していた。

一五世紀半ば以降、連続して神聖ローマ皇帝の位をしめていたハプスブルク家は、マクシミリアン一世（在位一四九三～一五一九年）の時に婚姻政策により家領の拡大に成果をあげ、ネーデルラント、ハンガリー、ボヘミアを支配した。マクシミリアン一世はやがてスペイン王家とも結びつき、彼の孫で後継者となったカール五世（在位一五一九～五六年）は、スペインとその海外領土および神聖ローマ帝国を支配下におくことになった。

カール五世は、イスラム教徒のオスマン帝国に対抗する「西欧キリスト教世界の一致・協力」という十字軍的・中世的理念を掲げ、自ら全西欧の指導者たらんとした。これはすでに衰退していた皇帝権を、新たな状況の下で再興しようとするものであったが、ドイツの統合、中央集権化をむしろ妨げるものでもあった。

こうしたいささか時代錯誤的ともいえるカール五世の構想は、彼の終生のライヴァルであったヴァロア朝のフランソワ一世（在位一五一五～四七年）にはまったく受け入れがたいものであり、フランソア一世は西欧の主導権を狙うカール五世に対抗するために、あえて異教徒のオスマン帝国とも結んだのであった。

両王朝の対立は一五世紀末、国家統合を成しとげたヴァロア朝がナポリとミラノ支配を狙ってイタリア遠征を開始したことに始まり、これが一六世紀半ばまで続くイタリア戦争となった。

この二大勢力の長期にわたる対抗関係の中で、イングランド、イタリア諸邦やローマ教皇までもが、自らの利益をはかるために二大勢力の一方に加担し、離合集散をくり返した。

やがておこった新旧両教の対立がからみ、西欧の外交関係は複雑をきわめた。そこには最強の勢力の覇権確立を阻止しようとする「勢力均衡の原理」が働いており、テューダー朝のイングランドもそうした状況の中で、自らの進路を定めなければならなかったのである。

2 イングランド絶対王政確立への道

ヘンリ七世の「新王政」

リッチモンド伯ヘンリ・テューダーは前王リチャード三世を敗死させて王冠を手にいれ、ヘンリ七世として即位したものの、彼自身はランカスター家の傍系にすぎなかった。しかも、ランカスター、ヨーク両王家の間でイングランドを二分して王位を争ったバラ戦争の敵・ヨーク家側には王位継承者となり得る者が残っていた。

そこで彼は、その一人であったウォリック伯をすばやく捕らえ、今一人のエドワード四世の娘と一四八六年に結婚して、ひとまずランカスター、ヨーク両王家の和解を実現した。

しかし彼の王位や、この和解を認めぬ者の陰謀が即位後一〇年ほど続き、これを克服して王位の安泰と治安維持をはかることがヘンリ七世の課題であった。さいわい彼の娘マーガレットとスコットランド国王との結婚が一五〇三年に実現し、この隣国との和解もできた。

この頃には西欧諸国もヘンリ七世をイングランド国王と認めるようになり、国民もようやく三〇年にわたるバラ戦争が本当に終結したという実感をもったのである。

新国王ヘンリ七世にとって、なおイングランド国内の治安を乱す恐れのある存在は、貴族の「従臣団（リテイナー）」とよばれる一種の私兵組織であった。ヘンリ七世は、裁判の公正を妨げ暴力をほしいままにするこの従臣団の規制にのりだした。

しかし軍事力は海軍を除けば、各州の民兵隊と国王を守るわずか数百名の近衛兵《このえへい》しかなく、常備軍を欠いていたイングランドでは、国王といえども従臣団に期待せねばならぬ場合もあった。また北部・西部の辺境ではなお大貴族の勢力に依存せざるを得なかった。

中央では国王評議会の中では貴族の勢力は退潮して、聖職者や法律や財政の実務家のジェントリが主力をしめ、その下にあった星室庁《せいしつちょう》（ウェストミンスター宮殿の「星の間〈スター・チェインバー〉」で開かれた特別の裁判所）が従臣団の規制にかかわっていた。中央の統治機構は整備されていったが、国王の官僚がイングランドの地方政治を支配することはなかった。

ヘンリ七世は、王領地からの収入とならんで国王の通常の収入に大きな割合をしめる関税収入の増加をはかって、貿易振興のために各国と通商協定を結び、自国の海運を保護・復興する政策もとった。この頃、羊毛に加えて毛織物の輸出も増加していったが、こうした商工業や貿易の発展は、彼がイングランド国内の平和を維持し、外国との戦争もできる限り避けたことの成果であった。

こうしたヘンリ七世の統治によって「新王政（ニュー・モナーキー）」は完成されていったのである。

ジェントリの進出

一四世紀後半に確立された治安判事こそ、イングランド地方政治の担い手であった。この職は当初、労賃規制などの経済統制や治安維持のために設置されたが、ヘンリ七世時代には国王評議会の下におかれて警察・裁判権も行使し、日常生活全般を統制する職になっており、主に地方ジェントリの有力者が起用されていた。

「ジェントリ」とは貴族より下で農民より上の社会層であり、その中で上位をしめる「ナイト（騎士）」や「エスクワイア（楯持ち）」は、本来は中世には軍事的な意味をもつ称号であったが、ヘンリ七世の時代にはそうした意味は失われており、ジェントリの大多数は地主であった。

彼らは、年に四回開設される「四季法廷」で治安判事として司法の役割をはたすだけでなく、下院議員としてイングランド議会にも選出されており、また通常は、在地貴族が就任する州長官の下で民兵隊の指揮もした。治安判事は在任中の業務には手当をうけるものの、俸給は支給されておらず有力ジェントリが交替で就任するので、職業的な官僚ではなかった。

イングランドの地方政治は無給で協力する治安判事によって支えられており、この時代にその職務内容が拡充されて地方にしっかりと定着していった。生活に余裕のある地主が地元の有力者として、一種の名誉職をつとめるアマチュアによる地方行政であり、他の西欧諸国には類例のないイングランド独自の名望家行政なのであった。

ヘンリ八世の治世へ

このようにヘンリ七世時代には、常備軍や官僚制は整備されず、地方ジェントリの協力に依存する統治が行われていたが、以後の国王の下でもこれは基本的に変わらず、イングランド絶対王政の特徴となっていた。

ヘンリ七世は治世前半の反国王陰謀や反乱を鎮圧せねばならぬ時期には、かなり頻繁に議会を召集した。反乱鎮圧などのための軍事行動は通常の国王の収入ではまかないきれず、議会の承認をへた臨時の課税を必要としたからであった。国内の平和を確立した治世後半には、ヘンリ七世は一度しか議会を召集していないが、国庫には十分な蓄えがあったといわれている。

彼は外交面では西欧の二大勢力の一方の雄であるスペインとの連携を求め、長男アーサーとキャサリン（スペイン国王イサベラとフェルナンドの娘）の結婚を一五〇一年に、ようやく実現させた。

しかし結婚の翌年、長男のアーサーが急逝した。このため、スペインとの連携が途絶えることを恐れたヘンリ七世は、苦肉の策として、未亡人となった王妃キャサリンを次男ヘンリと結婚させる道を選んだ。ヘンリ七世は、ローマ教皇から特別許可を得ると、将来の結婚を取り決める協定をスペインと結ぶことができた。

堅実な政治によりイングランドに平安をもたらし、テューダー王朝の基礎を築いたヘンリ七世は、一五〇九年春に死去し、一八歳のヘンリ王子が新国王ヘンリ八世として即位し、その直後に兄嫁だったキャサリンと結婚した。

実力者トマス・ウルジー

ヘンリ八世は父王とは違い、大陸での戦争に介入する機会をうかがい、勝利の栄光を夢見て一五一三年、ローマ教皇からの要請に応じて対仏戦争に出兵した。このとき、フランスと結ぶスコットランドがイングランドに侵入したが、スコットランド国王ジェイムズ四世は敗死した。

大陸出兵は多少の成果をあげたものの、ヘンリ八世は義父のスペイン国王フェルナンドとも外交の足並みがそろわず、西欧の外交関係の複雑さを思いしらされた。そこで彼はフランスと講和して、妹メアリをフランス国王ルイ一二世と結婚させることにした。

ヘンリ八世の治世前半、イングランドの内政や外交を動かしたのはトマス・ウルジーであった。彼は、イングランド東部のイプスウィッチの家畜食肉業者の家に生まれたが、学識をもって聖職者として頭角をあらわし、国王評議会で活躍してヨーク大司教、枢機卿、大法官ともなった。

ローマ教皇特使に就任した一五一八年、ウルジーはフランス、スペインを含む多くの外国代表をロンドンに集め、対トルコ同盟を成立させて得意の絶頂にのぼり、彼の私邸ハンプトン・コートは王宮をもしのぐ豪華なものであった。

こうしたウルジーのやり方は、すでに中世後期からイングランドに根強かったローマ教会の聖職者への批判を一層強めるものであった。しかし、父王とは違って堅実な政務を好まぬヘンリ八世は、彼を全面的に信頼して政務をまかせてしまい、ウルジーを大権力者にしてしまったのである。

3　宗教改革の嵐と英国国教会の独立

ルター、ローマ教会を批判

一五一七年、ドイツの大学教授で修道士でもあったマルティン・ルターは有名な「九十五ヵ条論題」を発表したが、それはまだローマ教会を全面的に批判したものではなかった。しかし、彼が真摯な内面的苦闘から到達した信仰義認論は、ローマ教会の伝統に対する根本的な問題提起を内包していた。ルターの主張は、人文主義者による腐敗聖職者への批判や聖書の原典研究と共通するものもあったが、より本質的な批判だったのである。

ルターは、業《わざ》による救済の否定（献金や善行のつみ重ねでは神の救済は得られぬこと）とローマ教会の権威の否定（人と神の間にたって各人を救済に導く「権威（ローマ教会）」が存在することの否定）の二点で、ローマ教会の伝統をしりぞけており、それ故に各人は「信仰によってのみ」悔い改め、神に直面して義認を得なければならぬとし、ローマ教会が行っていた贖宥状《しょくゆうじょう》の濫用を戒めたのであった。

ローマ教会側が地位や金銭の提供によってルターの発言を封じようとした時、彼は三つの著作を続けざまに発表してローマ教会への全面的批判にふみきったのであった。

ドイツは宗教戦争へ

一五二一年、ドイツのウォルムス国会で神聖ローマ皇帝カール五世が著作内容の全面取消を要求すると、ルターはこれを拒否した。彼は帝国からの追放刑を宣告され、歴史の表舞台から姿を消すが、一時ザクセン選帝侯の城にかくまわれた後、北ドイツでルター派の新教教会の建設に尽力することになる。

彼の行動が多くのドイツ人から支持されたのは、ローマ教会の搾取への反感もあったからであった。以後、ドイツでは宗教改革は政治問題となり、騎士戦争や農民戦争、ルター派諸侯の同盟と神聖ローマ皇帝側の抗争に発展していった。

皇帝カール五世はすぐにもルター派の諸侯を武力で抑えたかったが、国際情勢に阻まれて早急な抑圧は不可能であった。

オスマン帝国軍は一五二〇年代後半、ドナウ川をさかのぼってウィーンを包囲した。このため、皇帝はルター派の諸侯にも援軍を求めて、その信仰を一時的に黙認せざるを得なくなった。さらにイタリア戦争でも、一五四〇年代半ばまでフランスと死闘を続けたので、ルター派を武力で抑圧する余裕はなかった。

一五四四年の和約でフランスと講和した頃に、オスマン帝国の攻勢も一段落していた。神聖ローマ皇帝は、ようやくルター派抑圧の好機をつかんだのであった。

ヘンリ八世、男子誕生を切望

ルターがローマ教会の全面的批判にふみきった頃、イングランドのヘンリ八世はルターの著作に反駁《はんばく》する自分の著作と称する書物（本当に彼の著作であったか否かは不明）をローマ教皇に献呈して、「信仰の擁護者」の称号を得ていた。

ヘンリ八世は一五二〇年代後半になると、キャサリンとの結婚からメアリという女子しか得ていないことに不安を感じ始めていた。女子の王位継承には問題が多く、国内にはテューダー家以外にも王位継承者となり得る人物がいたからである。ヘンリ八世が王位継承を安泰にさせる男子の誕生を望んだのは当然であった。

すでに王妃キャサリンは四〇歳代に入り、彼女から男子誕生を望むことは困難になっていた。こうしてヘンリ八世は、離婚（実際にはローマ教皇から、キャサリンとの結婚の無効を宣言してもらうこと）と、若い新王妃を迎えることを考え始めていた。

ヘンリ八世

アン・ブーリン

彼自身は反ルターの著作でも貢献しており、ローマ教皇庁に勢力をもつイングランド大法官ウルジーもいると考えて、当初、この件については楽観的であった。

　しかし一五二〇年代後半以降、イタリア戦争は神聖ローマ皇帝側に有利に進み、ローマ教皇クレメンス七世は皇帝の支配下におかれていたので、皇帝カール五世の叔母にあたるキャサリンの離婚を許可することはできない状況にあった。

　こうした頃、ヘンリ八世は王妃キャサリンの侍女の一人だったフランス帰りのアン・ブーリンにめぐり合い、その若さと美しさにすっかり魅せられてしまった。アンに夢中になった国王は、彼女によって男子誕生を願うようになっていった。

王の離婚問題が反ローマの引き金に

ローマ教皇からキャサリンとの離婚許可が得られないばかりか、この件でヘンリ八世自身がローマに召喚されそうになった一五二九年、この交渉をまとめられなかった権力者ウルジーは、国王の信頼を失って大法官の職を解かれて失脚した。ウルジーは、ヨークに戻って大司教の職務を続けていたが、翌三〇年、大逆罪の疑いをかけられて、ロンドンに護送される途中で病死した。

ウルジーなき後、ヘンリ八世は自らのローマ召喚という措置へのイングランド国民の反感を利用し、一五二九年末に議会を召集すると、次々に反ローマ教会の立法を通過させた。三六年春まで続くこの議会は「宗教改革議会」とよばれている。

この議会で注目され国王評議会の一員となって、ヘンリ八世の新しい側近として腕をふるったのがトマス・クロムウェルであった。彼の登場により、ローマとの断絶も辞さない一段ときびしい反ローマ立法が用意され、聖職者会議の立法権剥奪や教皇への収入上納禁止の法律が制定された。

一五三三年初め、アン・ブーリンに妊娠の兆候があらわれ、ヘンリ八世は秘密裡《り》にアンと結婚した。今や誕生する子どもを正統な王位継承者とするために(もちろん、王子誕生が期待されていた)、王妃キャサリンとの離婚、アンとの正式の結婚を急がねばならなかった。

まず一五三三年春に「上告禁止法」が制定され、イングランドが超国家的権威や外国勢力に支配されぬ「主権をもつ国家（エンパイア）」であると規定して、国内での離婚問題の処理に道をひらいた。

新カンタベリ大司教クランマーがローマ教皇から叙任を得ると、三三年五月、ヘンリ八世はキャサリンとの結婚の無効、アンとの結婚の合法性を宣言して、国内的にはヘンリ八世の離婚問題は一応の決着をみたのであった。

そうした中で新王妃となったアン・ブーリンは一五三三年九月七日、グリニッジ王宮で王女エリザベスを出産した。王子ではなく王女が誕生したことは父王ヘンリにとって大きな失望であったが、まだ二〇代半ばのアンにはなお男子を産む望みもあり、ただちに国王の寵愛を失うことはなかった。

期待された王子ではなかったが、エリザベス誕生には盛大な祝賀行事が行われた。翌一五三四年、「国王至上法」などが制定され、ローマ教会との断絶、英国国教会の樹立が完成した。エリザベス王女は、まさに「英国国教会の申し子」だったのである。

英国国教会を樹立

だが、樹立された英国国教会は時に新教側との接近を試みたことはあったものの、「ローマと断絶した旧教教会」とでもいうべきものであり、なお宗教改革による新教教会という内実を備えてはいなかった。

一五世紀以来、ローマ教皇権から、自国の教会の自立をはかる国家教会主義の動きが西欧の君主によって進められており、フランスのガリカン教会のように、自立性を強めた旧教の国家教会も成立していた。樹立当初の英国国教会は、それにかなり近い性格をもっていた。

この英国国教会が樹立されていった一五三〇年代の西欧の宗教状況で、第一に注目されるのは、再洗礼派のミュンスター事件であろう。

「再洗礼派」は信仰の内面的充実をともなわぬ幼児洗礼を否定して、成人洗礼を強く主張したため、既存の社会秩序に挑戦するものとして危険視されていたが、一五三四年、ドイツ西部の都市ミュンスターで市政の実権を握った再洗礼派が狂気の支配ともいうべき過激な統治を行い、翌三五年、むごたらしく弾圧されてしまう。これにより再洗礼派といえば、社会秩序の転覆をはかる狂気の徒という評価がしばらく定着してしまった。

第二に注目すべきものは、フランス人カルヴァンの活動であろう。一五三六年、彼は『キリスト教綱要』を公《おおやけ》にして、予定説に基づくきびしい禁欲的職業倫理を説き、やがてスイスのジュネーヴに招かれて、この地を新教の一大中心地、カルヴァン派の本拠とした。その影響はほどなくイングランドにもあらわれてくるのである。

やがて一六世紀後半には新旧両教のきびしい対立が、ヨーロッパ国際政治の動向や各国の国内対立を動かす最大の要因となっていった。

激化する新旧両教徒の対立

一五四〇年代半ば、ルター派の勢力を撃破する機会をつかんだ神聖ローマ皇帝カール五世は、一五四六〜四七年のシュマルカルデン戦争でルター派諸侯の軍を破った。彼はルター派の代表をトリエント公会議に出席させ、多少の譲歩をした上でルター派を全面的にローマ教会に復帰させる計画をもっていた。しかし皇帝権力が強まることを恐れるドイツ諸侯の反乱によって、この計画は挫折した。

兄カール五世からドイツの宗教問題解決をゆだねられた弟フェルディナントは、ルター派との協議を重ねて、一五五五年、アウグスブルクの宗教和議を結んだ。この和議でドイツの諸侯と都市はルター派の新教かローマ教会の旧教のいずれかを選択する権利をもち、住民はその宗派に従うべきものとされた。この原則によってドイツでは、各諸侯・都市が領邦教会制を確立していった。

自らの計画に失敗したカール五世は、神聖ローマ皇帝の位を弟フェルディナント一世に、スペイン王位を長子フェリペ二世に譲って引退した。

イングランドではこの間の一五四七年、ヘンリ八世が死去し、エドワード六世が即位した。国教会はなお新教への改革を十分進めておらず旧教の色彩も残していたが、すでに修道院はヘンリ八世によって解散されており、その莫大《ばくだい》な資産は国王に接収されていた。

主に新教徒の人文主義者から教育を受けていた幼い新国王エドワード六世の下では、その母の兄で新教の保護者であったサマセット公が摂政となり、旧教のラテン語礼拝に代わる母国語（英語）礼拝のための「共通祈禱書」を制定し、パンとぶどう酒両方を与える聖餐《せいさん》式《しき》を行うなど新教への改革を進めた。

この頃、大陸ではルター派諸侯の敗北などにより新教徒への抑圧が強まっていたため、新教の神学者が数多くイングランドに避難し、その新教改革に貢献した。

一五四九年、「礼拝統一法」によりこうした新教の礼拝が強制されると、それへの反発はイングランド西部での反乱に発展した。一方、東部でも農民の土地を奪って牧羊地にかえる「囲いこみ」に反対する反乱がおこり、責任を問われた摂政サマセット公は失脚した。

代わって権力を握ったウォリック伯（後にノーサンバランド公）は、旧教に同情的とみられていたが、「共通祈禱書」をさらに新教的に改訂して「四十二ヵ条」の信仰個条を制定するなど、新教改革をさらに進めた。

しかし彼はエドワード六世が死去すると、亡き国王の姉にあたるメアリの王位継承を排

メアリ一世（右）とフェリペ

除しようとして、ヘンリ七世のひ孫にあたるジェイン・グレイの擁立を企てたが、失敗し処刑された。そして王位継承順位の通りにメアリがイングランド女王に即位した。

「ブラディー・メアリ」の登場

メアリ一世は旧教を信じていたが、即位後はすぐに急激な旧教への復帰をめざさず、まずエドワード六世時代の宗教諸法を廃棄して、ヘンリ八世が死んだ当時まで事態を戻した。

しかし彼女は神聖ローマ皇帝カール五世の王子フェリペ（後のスペイン国王フェリペ二世）との結婚を決意して、枢密院や議会を驚かせた。

引退を決意したカール五世からみれば、イングランドの支援を得て新たなハプスブルク勢力の結集をはかり得るこの結婚は、願ってもないものであった。

しかしこれは、対立するスペイン、フランスの二大勢力の間で中立を保って、自国独自の立場を維持してきた従来のイングランドの外交政策を外れるものであった。一五五四年初め、この結婚に反対する反乱もおこったが鎮圧され、同年七月に結婚式が行われた。

メアリ一世はスペインの支援の下に旧教への完全な復帰をなしとげ、ヘンリ八世の宗教改革立法も廃止されたが、教会の資産が元通り回復されることはなかった。この時までに熱心な新教徒八〇〇人ほどが大陸に亡命した。彼らは「メアリ時代亡命者」とよばれたが、やがてエリザベス時代になると、彼らの中からイングランドの政治と新教の国教会再建に活躍する者が輩出するのである。

旧教への復帰に反対する暴動もおこったが、メアリ一世は復活された「異端処罰法」を用いて、きびしい新教徒弾圧を始めた。

その犠牲者はイングランド全体で数百人にのぼり、特に新教改革の推進役となったエドワード六世時代の主教陣から多くの殉教者が出た。このために彼女は「流血のメアリ（ブラディー・メアリ）」ともよばれた。英国国教会は新旧両教の間で、このように大きく動揺したのであった。

4　王女エリザベスを襲う試練の波

母アン・ブーリンの処刑

一五三六年一月アン・ブーリンは、せっかくの男子を早産して失い、ヘンリ八世の寵愛もまったく失ってしまった。

アンに代わる新王妃によって男子の王位継承者を得る可能性を考え始めていたヘンリ八世の命令によって同年五月、アンは不義の汚名をきせられて逮捕され、半月後には有罪を宣告されて処刑された。そして、ヘンリとアンの結婚は当初から無効であったと宣告され、アンの娘エリザベスも、ヘンリ八世の第一王妃であったキャサリンの娘メアリと同じように非嫡出子の身分に落とされた。

しかし、当時二歳半ばほどであったエリザベスには、母の死も自らの身分の変化も特に不幸をもたらすことはなかった。父王ヘンリの愛情も衰えることはなく、彼女は早熟な才知を示して一層父の愛をうけていた。さらに、従来はエリザベスと彼女の母アン王妃に敵意をもっていたメアリが、ずっと年下の義妹エリザベスに自然な愛情を示すという変化がみられた。

ヘンリ八世はアンを処刑した直後に三番目の王妃となるジェイン・シーモアと結婚し、翌一五三七年秋、待望の男子エドワードを得た。

この四歳違いの義理の弟にエリザベスは親愛感をもち、折りにふれて贈り物をした。やがて、エリザベスとエドワードの二人は新教派の人文主義者から教育をうけ、姉弟はさらに親密になっていった。彼ら二人の受けたルネサンス的な貴族教育はラテン語・ギリシア語の古典の学習、外国語習得など当時の大学教育にひけをとらぬものであった。

トマス・シーモア事件

一五四七年、エドワード六世が幼くして即位すると、伯父サマセット公が摂政として実権を握ったが、その弟トマス・シーモアも男爵に叙せられ、枢密議官、海軍長官となった。この美丈夫《びじょうふ》ながら無分別な人物からエリザベスは大きな迷惑をこうむることになった。

ヘンリ八世死去の直後、このトマスはヘンリ八世の前王妃キャサリン・パーと結婚した。エリザベスは当時は前王妃と起居を共にしていたので、トマスとは毎日顔を合わせることになった。

翌年キャサリン・パーが出産で死去すると、トマスは今度はエリザベスとの結婚を望んだようであるが、当初からそれこそが彼の狙いであったともいわれている。周囲の者がその結婚を望み、本人にもその気持ちがあったらしいことが後で禍《わざわ》いとなった。

トマスは兄である摂政サマセット公の権勢をねたんでおり、兄に対し無責任な陰謀をたくらんでいた。しかし、一五四九年初めに陰謀が露見すると彼は逮捕されてロンドン塔に送られ、やがて処刑された。

ところが思いがけないことに、エリザベスはトマスの陰謀に加担していた疑いをかけられ、さらにトマスの子を身ごもってロンドン塔に送られたという悪い噂をたてられた。その噂を知った彼女は摂政サマセット公にあてて、身の潔白を証明する自筆の手紙を書いた。当時一五歳のエリザベスが几帳面な筆跡で書いたこの手紙は、現在も彼女が軟禁されていたハットフィールド館に保存されていて、この館を訪れる人は、その手紙の写真版を見ることができるのである。

エリザベスの決然とした否定で、陰謀に加担した疑いは晴れたが、この事件は大きな災難であった。これを除けば、幼い弟エドワード六世の治世は、新教徒の彼女には安心して過ごせる良き時代であった。

一五五二年末頃から、エドワード六世は健康をそこね（おそらく肺結核であった）、これを心配したエリザベスは、心のこもった見舞いの手紙や手作りの贈り物を弟でもある国王へ届けさせていた。しかし彼は翌一五五三年六月、一六歳にみたぬ若さで死去し、エリザベスの義姉メアリがイングランド女王に即位するのである。

ロンドン塔に幽閉

女王に即位するとメアリは、すでに次位の王位継承者に定められていたエリザベスに、急に冷たい態度をとるようになった。旧教の信仰を復活させようとする姉の女王からみれば、新教徒の妹は警戒すべき存在であった。

当初は旧教の礼拝に出席しなかったエリザベスも、姉の不興を恐れてミサに出席し、旧教の教えを学ぶと誓った。メアリ一世が信頼していた神聖ローマ皇帝の駐英大使はエリザベスの「改宗」に疑いをもち、何か理由をつけてこの妹を拘禁するよう女王に進言していたといわれている。

メアリ一世とイングランド国民に不人気なスペイン王フェリペ二世との結婚協定が一五五四年一月に公《おおやけ》にされると、その阻止をさけぶ「ワィアットの乱」がケント州でおこり、同年二月には首都ロンドンをもおびやかした。この乱は鎮圧されたが、国民がスペインとの連携強化に反感をもっていることが明らかになった。

エリザベス自身は姉の統治に反抗する気持ちはまったくなかったようであるが、この反乱への加担を疑われた彼女はロンドン塔に拘禁され、取り調べをうけた。ロンドン塔に送られることはしばしば処刑を意味したので、エリザベスの不安は大きかった。

姉のメアリ一世はできれば王位継承権をもつエリザベスを排除してしまいたいと考えたようであるが、彼女が反乱に関与した証拠は発見されず、エリザベスは人生最大の危機を脱することができた。

しかしエリザベスは翌年にかけて王領地のウッドストックに監視つきで軟禁され、すぐには自由になれなかった。やがて彼女への拘束は緩和され、宮廷に伺候《しこう》することも許された。

姉メアリ一世の監視の下で

メアリ一世と結婚したフェリペ二世は、イングランド王位継承権をもつスコットランド女王メアリ・ステュアートがフランス王太子妃に予定されていたので、スペイン王として隣国フランスに対抗するために万一の場合に備えて、エリザベスを王位継承者として温存しておきたかった。

メアリ一世による新教徒迫害が激しくなると、イングランド国内の新教徒は一日も早いエリザベスの王位継承に期待をかけただけに、彼女はきわめて慎重にならざるを得なかっ

エリザベスがいたハットフィールド館

た。少しでも姉の女王から疑われることがあってはならなかったからである。

メアリ一世は夫フェリペ二世との間に子を設けることもできず、一五五七年、再び来英した夫の要請でイングランドを無謀な対仏戦争に参加させた。ついに王位継承者の誕生はなく、まったく孤独になったメアリは旧教の信仰を維持するという条件つきながら、エリザベスを王位継承者と認めざるを得なくなった。

この時期エリザベスは、ハットフィールド館で機会を待ちながら静かな生活を送っていたようである。彼女の王位継承は確実と思われ、すでにスペイン大使を含む外国使節や国内の貴族なども、足しげくハットフィールド館を訪問するようになっていた。

第二章　女王エリザベス

「すべてはこの女王が選ぶ夫にかかっている」
——駐英スペイン大使の手紙から

レスター伯と踊るエリザベス

1　新女王を待ちうける難問

「神のなされたみ業」

一五五八年一一月一七日メアリ一世は死去し、多くのイングランド国民（特に新教徒）から、その即位に期待をかけられていたエリザベスは二五歳の若さで、ついにイングランド王位につくことになった。

使者からこの知らせを聞いた彼女は、「これは神のなされたみ業《わざ》である」と語ったといわれている。これまでの彼女の苦難をふり返った言葉であろう。

メアリの死の一週間ほど後にハットフィールド館を出発した新女王一行は、ゆっくりと首都ロンドンに向かってパレードを続け、五日間かけてロンドンに入った。戴冠式を前に新女王はすっかり国民の気持ちをつかんでしまったようである。

その背景には前女王メアリ一世が新教徒を迫害して多くの流血をひきおこし、夫のスペイン王フェリペ二世と結んで無謀な対仏戦争を始めてこれに敗北し、ながらくイングランドの拠点であったフランスの都市カレーを失うなど失政が多く、新しい統治者の登場が期待されていたこともあったであろうが、新女王エリザベスが威厳をもちながらも、沿道につめかけた民衆に手をふるなど若々しい魅力を発揮して国民に親愛感を抱かせたことが大きかったように思われる。

当時のヨーロッパの絶対王政はオリエントの古代帝国のような強権的な専制政治とは違って、君主に対する国民の人気や支持に大きく依存するものであったことも想起されてよいと思われる。

枢密院の改革

ヘンリ八世時代から国王評議会の中の二〇人ほどのメンバーが枢密院を構成し、イングランド統治機構の中心として事実上の政府となっていた。前に述べた地方ジェントリの治安判事を中央から統制していたのも、この枢密院であった。

メアリ一世時代には三九人にまで増加していた枢密議官を新女王エリザベスは一九人にまで減らし、その際に頑迷な旧教徒をメンバーから排除した。しかし新枢密議官の半数以上はメアリ時代の枢密議官が残り、新任の議官九人はすべて新教徒であった。

その中でエリザベス時代に重きをなしたのは、大法官ニコラス・ベイコン（有名な『随筆集』の著者フランシス・ベイコンの父）と首席秘書長官ウィリアム・セシルの二人であった。このセシルは前女王死去の直後、まだハットフィールド館にいる間に、エリザベスが新しい枢密議官として最初に登用した人物で、終生もっとも有能な官僚として彼女の信頼を得ていた。

彼の次男ロバート・セシルも、後年、エリザベスが死去した一六〇三年に、スコットランド国王ジェイムズ六世のイングランド王位継承を無事になしとげる首席秘書長官となるのである。ロバート・セシルこそ、その新国王との邸館交換でハットフィールドを手にいれ、ここに一六一〇年代に新館を建てさせた人物であり、それ以来この地は現在までセシル家の所有となっている。

ウィリアム・セシルとニコラス・ベイコンのようにメアリ一世時代にすでに官僚として活躍していた者が、新女王エリザベスによって枢密議官に登用され、新枢密議官の大多数も同時に中央の官僚でもあったが、中央の政治には参加できない少数のイングランド北部の有力貴族もそこに含まれていた。彼らは辺境の抑えのために、一種の名誉職としてこの枢密議官の地位を与えられていた。

宗教改革以前には聖職者が重きをなしていたイングランド枢密院は、今や大学教育を受けた俗人で、すでに統治に関与した経験をもつ者が中心となり、二五歳の新女王よりもかなり年長の者によって構成されていた。こうした堅実で有能な枢密院の補佐をうけたエリザベスは、解決を要する多くの難問をかかえて治世を始めていったのであった。

宿命のライヴァル――メアリ・ステュアート――の登場

前にも述べたようにテューダー朝のおかれた国際的地位は、フランス、スペイン両大国の間にはさまれた弱小国というものであった。エリザベスが即位した頃は、スコットランドと結んだフランスの脅威の方が大きかった。

ブリテン島の中でイングランドと対抗するスコットランドは、中世後期からフランスと結ぶ傾向をみせていたが、この宗教改革後の一六世紀半ばからスコットランド王ジェイムズ五世の王妃メアリ（メアリ・オブ・ギーズ）がフランスのギーズ家出身であったため、フランスと旧教との提携を強化していた。

ジェイムズ五世が無謀なイングランド侵入を図って敗北し、一五四二年末死去した時、生まれたばかりの娘メアリ・ステュアートがスコットランドの王位についた。彼女はイングランド国王ヘンリ七世の曾孫にもあたっていたため、イングランドの王位継承権をもっていた（一六ページの系図参照）。

この当時スコットランドでは、フランスと旧教勢力との提携を維持しようとする一派とイングランドと新教側との提携をはかる一派とが対立していた。後者はメアリ・ステュアートとイングランド王子エドワードの結婚さえ画策したが前者が勝利をおさめ、メアリはフランス宮廷に送られて王太子フランソアの将来の妃として養育されることになった。

エリザベスが即位する半年ほど前の一五五八年春、一五歳になったメアリ・ステュアートは予定通りフランス王太子と結婚した。エリザベスがイングランド国王に即位すると、これに異議を唱えたメアリ・ステュアートは当然、自らの王位継承権を主張した。

メアリ・ステュアート

旧教徒の立場からみれば、ヘンリ八世とアン・ブーリンの結婚は正当なものではなく、それ故にエリザベスは嫡出子でもないので、メアリ・ステュアートこそが正統なイングランド国王であるべきなのであった。こうして宿命のライヴァルの対立が始まったのであった。

旧教との微妙な関係

フランスのブリテン島支配といった事態がおこることを危惧したスペインのフェリペ二世は、当初は新女王エリザベスを支援する立場をとり、駐英スペイン大使を通じて彼女との結婚の可能性さえ打診させたのであった。

エリザベスの側からも当面は国際的な力関係の中でスペイン国王の支援を期待しようとすれば、ローマ教会と対決する姿勢をすぐさま表明することを避けなければならなかった。またエリザベスはフェリペ二世との結婚の可能性についても返答を引きのばして、スペインの駐英大使に期待をもたせたのであった。

こうした背景もあって、エリザベスは前女王メアリが再建した旧教教会をただちに否定するような行動はとらなかった。国内の旧教徒を動揺させず、ローマ教皇にイングランドへの干渉の口実を与えないような慎重な行動が必要であった。

エリザベスはそれまでのローマ教皇庁へのイングランド大使をそのまま駐在させ、近いうちにさらに有力な使節を送る意向であると教皇に伝えさせた。しかし、彼女が前女王の旧教体制をそのまま容認するものではないことは、その態度で示されていた。

即位直後の一五五八年のクリスマス礼拝において、儀式が聖餐《せいさん》にさしかかった時、司教が旧教のミサの聖体拝領《せいたいはいりょう》の形で行おうとすると新女王エリザベスはこれを禁じ、司教がこれを拒否すると、彼女は礼拝の場からたち去って旧教の儀式を認めないことを態度で示したのである。

即位直後から新女王は、旧教徒も服従し得るような英国国教会をつくりあげようとしていたように思われる。
しかし、新しい国教会はエリザベスが望む通りに樹立されたのであろうか？

貨幣悪鋳の影響

一六世紀は、ヨーロッパの物価が大いに上昇した時代であることは広く知られており「価格革命」とよばれている。

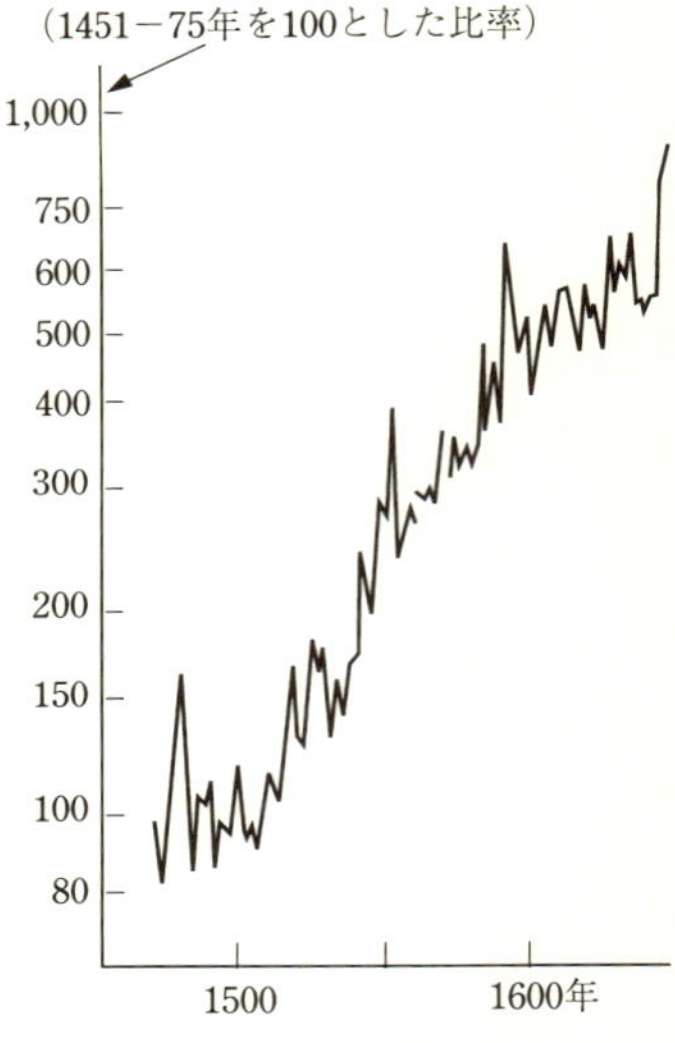

イングランドの物価騰貴（16世紀）

この世紀に物価は三～四倍になったといわれているが、二〇世紀の状況からみれば「革命」というほどの物価上昇ではないかもしれない。しかし、まだ資本主義の成長経済の軌道にのってはいなかった当時のヨーロッパでは、この程度でもかなりの物価騰貴だったのである。

この現象は、中南米のスペイン領から大量の金・銀がヨーロッパに流入したことからおこったものであると説明されることが多い。また、すべての物価が一様に上昇したのではなく、不足気味であった食料品の価格が特に上昇したのであるという指摘もある。実際の物価騰貴はさまざまな要素が複合しておこったものであることは事実であろう。イングランドの場合には、さらに政策的・人為的な要素が加わっていたのであった。

すでに述べたように、ヘンリ八世は積極的にヨーロッパ大陸における国際戦争に介入したため、戦争に巨費を費やし、修道院解散によって得た莫大《ばくだい》な王室資産の大部分を売却せねばならぬ状況であった。そのためヘンリ八世は、治世前半の一五二〇年代から貨幣悪鋳《あくちゅう》を行っていた。

「悪鋳」とは、貨幣に含まれる金・銀などの貴金属の量を減らし、貨幣の品位を落として鋳造し直すことで、当面は差額として生じた金・銀を手にいれて王室財政を一時的にうるおすことが目的であった。

国民を苦しめる物価騰貴

ヘンリ八世は、一五四〇年代にも「大悪鋳」といわれるほどの品位引き下げを強行した。わが国でも江戸幕府が再三こうした悪鋳を行ったことは広く知られている。その影響は、イングランドの場合には得失の両面が顕著にあらわれてきたのであった。

まずプラスの面をみてみると、一五二〇年代と一五四〇年代にはイングランドから毛織物輸出が急増した。すでにヘンリ八世の治世初期から毛織物輸出は好調で、そのための牧羊地を拡大する「囲いこみ」は農民を土地から追いたてていたので、後に大法官となったトマス・モアは『ユートピア』（一五一六年刊行）の中で「羊が人を食い殺している」と嘆くほどであったが、一五二〇年代と四〇年代にさらに輸出ブームがおこったのであった。

イングランドの貨幣ポンドの価値下落が輸出を促進したのであり、今日の日本でもドルに対して円安になれば輸出増が期待されるのと同じである。

他方でマイナスの面も大きかった。輸入品は高騰し、一般に「価格革命」といわれている水準以上にイングランドの物価を騰貴させ、国民生活に深刻な影響を与えるまでになっていた。むしろ当時のイングランドでは中南米からの金・銀流入よりも、貨幣悪鋳こそ物価騰貴の主要な原因とみる考え方が多かったようである。

そこで、ヘンリ八世の治世末期からエドワード六世時代にかけて、金貨のみは貨幣を良貨に戻す改鋳が進められたが、なお品質の悪い銀貨が残っていて物価安定の妨げとなっていた。エリザベスには、全面的な良貨への改鋳と物価騰貴をおさえる課題が残されていたのであった。

2　国教確定への道

旧教の司教を罷免

盛大な戴冠式の一〇日ほど後に、エリザベス時代の最初の議会が開かれた。この議会で新女王がめざしたものはローマ教皇と断絶して国王を首長とする国教会を再建し、礼拝様式や教義の変更はできる限りしない意向であった。彼女の構想は、父ヘンリ八世の晩年の状況への復帰だったようである。

それだけのためならばイングランド国王を国教会の最高首長とする「国王至上法」の復活とそれに抵触するメアリ時代の法令廃止で十分だったのであり、即位当初のエリザベスはまずこれを実現して、礼拝様式や教義の細部などは後日の検討に残そうとしていたようである。

しかし新「国王至上法」では、イングランド国王がヘンリ八世時代の「最高首長」から「最高統治者」へとやや抵抗の少ない呼称に変えられていても、メアリ時代の旧教体制の司教たちは、一人を除いてその至上権への宣誓を拒んだため、職務を剥奪された。そのためエリザベスは、新しい国教会の主教陣を早急に再建する課題に新たに直面することになった。

一方、ロンドンの新教徒や、新女王即位を喜んで帰国した「メアリ時代亡命者」など熱心に改革を求める新教徒は、礼拝様式や教義などの新教路線への転換を強く求め、そのためエリザベスも議会に「礼拝統一法」の審議・制定を許したようである。

この法令では一五五二年のやや新教色の濃い「共通祈禱書」に、聖餐式の言葉が「四九年版祈禱書」の方向に多少修正され、他にも極端なローマ教会非難の言葉が除かれるなどわずかの改訂が行われた。

しかし、実際の教会運営において後に大きく問題となってくるのは、「五二年版祈禱書」にはなかった聖職服使用の規定を加えたことであった。

この「国王至上法」「礼拝統一法」の二つは一五五九年四月末に議会の上下両院で可決され、ひとまずエリザベスによる国教確定（「宗教解決」ともよばれる）はなったのであった。

メアリ時代の司教の大多数がこれに異議を唱えて職を去ったことは前に述べたが、一般の聖職者で新体制に反対して職を去った者は二〇〇人前後とされており、大きな動揺はなかったと考えられている。

しかし新教徒の中には「五二年祈禱書」の保守的な方向への改訂や聖職服規定に大きな

不満をもつ者も多く、わずかに「礼拝統一法」の中に「他日、女王の権威に基づき新しい命令が下されるまで」とあることに期待して、この国教確定に従ったのであった。

エリザベスは当初は「メアリ時代亡命者」のような急進的な教会改革の熱意に燃える者たちを主教陣には起用したくないと考えていたようで、国教会の最高責任者であるカンタベリ大主教には亡命経験のないマシュウ・パーカーを任命した。

しかしメアリ時代の旧教教会の司教がほとんど職を辞して、主教陣の再建が急務となったことで、改革の熱意に燃える「メアリ時代亡命者」からも人材を登用せざるを得なかった。その中では、この時ロンドン主教に起用されたエドマンド・グリンダルが、やがて教会運営の方針をめぐって女王と激しい対立をひきおこすことになるのであった。

「英国国教会こそ正統（カトリック）な教会」

再建された英国国教会に対する内外の批判、特に旧教徒からの批判に対して独自の擁護論がこの頃にあらわれた。

一五六〇年にソールズベリ主教に登用されることになるジョン・ジューエルは、その前年の五九年に行った説教で、パウロなどの使徒たちによる初代の教会から継承された純粋さは英国国教会において（堕落した当時のローマ教会と訣別して）復興されたのであって、英国国教会こそ正統(カトリック)な教会であり、政治的な理由から新奇な道に走ったものではないと主張した。

この使徒からの純粋な教会の伝統継承を強調する考え方を「使徒継承」とよぶが、ジューエルは後に英国国教会が、宗教改革後の旧教教会再建のために開かれたトリエント公会議(第三会期)への招請を拒否して、旧教側からの非難が強まった時、この使徒継承を軸とする国教会弁護論を『英国国教会の弁護』(一五六二年刊行)として出版した。

彼の論法は、後には「聖書のみ」を強調して聖書に根拠のない慣習をすべて排斥しようとする急進的な新教徒(彼らはやがて「ピューリタン」とよばれるようになった)に対しても、国教会の伝統を尊重する立場から援用されることになるのであった。

礼拝様式を統一

英国国教会のさらなる改革の推進と、聖書に根拠をもたぬ旧教的な慣習の排除は急進的改革派の切望するところであり、一五六三年に開かれた聖職者会議は彼らにとって絶好の機会と期待されていた。

この会議には、まず大主教パーカーが中心となって作成した英国国教会の教義的な立場を明確にする「三十九ヵ条」が提案された。これはエドワード六世時代の新教改革の総決算ともいうべき「四十二ヵ条」を改訂して作成したもので、聖礼典(サクラメント)を洗礼と聖餐の二つに限定し、パンとぶどう酒の両方による聖餐、母国語による礼拝など新教としての基本を定めたものであった。

これは一方で旧教側からの英国国教会の正統性への非難に反論し、他方で国教会の伝統を擁護する内容をもっており、この聖職者会議で承認されたが、女王の意向もあって旧教徒には特に受け入れがたいとみられていた第二十九条を当初はふせて「三十八ヵ条」として公布された。

ついで「礼拝統一法」の改訂をめざす提案が出され、一つは可決されたが実際の効果はなく、二つめは聖職服に代わって簡素なガウンの使用、着席のままの聖餐受領など礼拝様式の変革を提案していたため、僅差で否決されてしまった。

この会議を、より進んだ新教的な礼拝様式への改革の機会として期待していた急進的改革派は落胆することになったが、実際には定められた規定(特に聖職服の着用)を守らない聖職者が、この会議後にもかなりいたのであった。

そこでエリザベスは一五六五年、カンタベリ、ヨークの両大主教に書簡を送って、礼拝と儀式における規定の遵守をよく監督するよう指示した。大主教パーカーは翌六六年、「通告文」を出して礼拝や聖職服などの規定を正しく守るよう通達した。そして、こうした指示を守らぬ者たちを説得しようとしたのである。

しかし、オクスフォード大学の要職にあったサンプソン、ハンフリーの二人は「聖職服は聖書に規定されていない事項であるから強制されるべきものではなく、その上にそれは旧教時代から続く教皇派の慣習である」と主張して指示を守ろうとしなかったため、ついに、一時その職務を停止されることになった。

ピューリタンの登場

一五五九年の「国王至上法」「礼拝統一法」と六三年の「三十九ヵ条」によって、英国国教会の行き方がしだいに確定され、急進的改革派の提案がしりぞけられてしまうと、この行き方に背を向ける新教徒が出てきた。その最初の姿が「反聖職服派」ともいうべきグループであった。

「ピューリタン」という言葉は、権威ある辞書によれば一五七二年から使われたものであるとされているが、後にピューリタンとよばれるようになるグループは、一五六〇年代半ばにすでに登場していたとみてよいであろう。

しかし国教会の主教の中にも、こうした聖職服や旧教時代から続く礼拝や儀式を必ずしも快からず思っている「メアリ時代亡命者」もおり、その代表的人物が前にも述べたロンドン主教グリンダルであった。そのため、彼は主教陣の一人ではあってもピューリタンであると考える者もいる。

しかし彼はこうした些細な点の相違を捨てて、新教の信仰(「福音」とよばれていた)の宣教という大きな共通の目標に向かって、ともに努力しようと「反聖職服派」を説得した。たしかに当時のイングランドに新教の信仰が定着したとは言いがたく、特に北部には旧教の信仰に心を寄せる者たちがなお多かったのである。それに「福音の宣教」(すなわち新教信仰の浸透)をはかるには、国教会の末端の組織である各教区の教会の聖職者の整備があまりにも不十分であった。

グリンダルらは聖職者の資質向上、わけても説教能力の向上を第一と考えていた。当時の主教陣はこうした目標ではほぼ一致しており、「反聖職服派」も主教たちや主教制という制度そのものに強く反対してはいなかった。

やがてピューリタンの中から主教制そのものを批判して、これに代わって長老教会制による国家教会の建設を構想する長老教会主義者もあらわれてくる。しかし彼らも、国民が一つの統一された国家教会体制に統合されていることは当然であると考えていた。

だが、国教会からの分離によって「真の信仰者」のみによる教会形成をめざす「分離派」があらわれてくると、一国民を統合する国家教会という考え方がしりぞけられることになる。後の一七世紀の状況からみて、この分離派より急進的な新教徒もピューリタンの中に含めて論じる研究者も少なくない。

しかしエリザベス時代については、一国民を統合する国家教会の存在を前提として、その改革推進を強く求める者たち(すなわち、分離派を除外して)をピューリタンとして考える見方の方が一般的である。

わが国ではピューリタンという言葉を「清教徒」などと訳しているために、「清らかな」という印象を与えることが多いけれども、当初はこの言葉は彼らを蔑視して用いる「悪口」といってもよい用語であり、むしろ「純粋ぶった者」とでも訳すべき語感をもつ用語であるといってよいであろう。彼ら自身は自分たちを「敬虔な者たち」(ザ・ゴッドリ)とよんでいた。

国教会は統治の「装置」

一方、エリザベスの国教会運営は、できる限り旧教に心を寄せる者たちを排除せず、新教徒にもかなりの満足を与えようという、いわゆる「中道政策」であり、教理上はやや緩和されたカルヴァン主義を採りながら、礼拝様式や聖職服には旧教的な要素も残すという統治者としての配慮を示すものであった。

こうしたやり方を、新教への改革が不徹底であると批判するピューリタンの考えは、国内の宗教的対立を回避しようとする統治者の配慮を理解せぬ愚か者の考え方にすぎぬと、エリザベスは思っていたかもしれない。

彼女は自分の礼拝堂では旧教のしきたりと同じく、ろうそくの使用も続けさせ、また聖職者の独身制を好んでいたといわれているが、個人的な好みを公的な制度として押しつけるほど愚かではなかった。

「三十九ヵ条」では聖職者の結婚も明確に認められている。むしろエリザベスは、英国国教会を国家への服従を国民にうながす「装置」であると考える、冷めた目を持つ統治者であったように思われる。そこには、ピューリタンのような宗教的な情熱というものはほとんど感じられないのである。

3 好転する国際情勢

英仏戦争を終結

前女王メアリが、その夫であるスペイン国王フェリペ二世の要請によって始めた対仏戦争は、長期にわたるハプスブルク、ヴァロア両王朝の抗争の最後の局面にイングランドがまきこまれたものであった。しかし、イングランドの拠点であったフランスの都市カレーを喪失したばかりか、莫大な戦費によって一段と国の財政難を深めるというみじめな結果に終わった。

この不幸な対仏戦争とカレーの帰属問題は、エリザベスの即位直後にはまだ解決されていなかったが、一五五九年四月のカトー・カンブレジ条約でようやく決着をみた。この条約はフランス、スペイン間の戦争と英仏間の戦争を終結させるものであったため、講和条約も二つ別々に締結された。

まず英仏間の条約であるが、エリザベスはもはやカレーを維持することは困難であるとみて、実利を求める策をとった。カレーは八年間の期限付きでフランスの領有が認められ、その後も領有を続ける場合には、イングランドに五〇万エキュ（フランス金貨の単位）を支払うものと定められた。

実際にはカレーはフランスに帰属することになるが、イングランドは体面を保った上に戦費軽減も含め財政上の利得を得た。しかしエリザベスが、なおカレーを含む大陸での拠点確保の望みを捨てたわけではないことが、その後の行動で明白になるのである。

フランス、スペインの講和

次にフランス、スペイン間の講和条約であるが、フランスはイタリアにおける領土的要求を放棄する代償にロレーヌ地方にメッツ、トゥール、ヴェルダンの三都市を獲得し、スペイン王フェリペ二世はフランス王アンリ二世の娘と再婚する婚約がととのった。この婚約によって、エリザベスはフェリペ二世の求婚の対象ではなくなり、その利点は消えたのであった。

フランス、スペイン両国の講和によってイングランドが両国の抗争にまきこまれる心配はなくなったものの、フランスを後ろ楯とするスコットランドの脅威は消えてはいなかった。また旧教の両大国が講和したことによって旧教教会のたて直しと勢力回復をはかるトリエント公会議（第三会期）の開催も可能になり、この旧教の両大国が弱小の新教国イングランドを共同して攻撃する可能性もまったく考えられないわけではなかった。

しかし、以下に述べるような状況の展開によって、こうした脅威は消滅していった。

アイルランド、スコットランドとの関係改善

幼いスコットランド国王メアリ・ステュアートが将来の王太子妃としてフランスで養育されるようになってから、スコットランドはフランスおよび旧教勢力の利害にそって支配

されるようになった。しかしこの国にも新教勢力が力を増しつつあり、時にはイングランドとも結んでフランス・旧教勢力の支配をはねのけようとする動きもあらわれていた。

一五五九年春から、こうした新教勢力の反フランスの動きがおこり始めていた。カトー・カンブレジ条約締結の一ヵ月あまり後、大陸から帰国したジョン・ノックスら宗教改革推進を求めるスコットランドの新教徒は、イングランドからの支援を期待しつつ旧教勢力の打倒やフランス支配の排除をめざす行動を開始した。

エリザベスの側近の中にはスコットランド介入の成功を危ぶむ声も多く、女王や枢密院もスペインからの介入を恐れてスコットランドへの出兵を躊躇《ちゅうちょ》していた。しかし、エディンバラの入口であるフォース湾にあらわれたフランスの増援軍をイングランド海軍が阻止し、一五六〇年春にはイングランド陸軍も国境を越えてスコットランドに入り、この地の新教勢力はようやくフランス・旧教勢力を打倒することができた。

この結果、七月に締結されたのがエディンバラ条約であり、フランス軍のスコットランド撤退、その拠点破壊が決められ、女王メアリ・ステュアートがフランス王妃である間は、一二人の貴族による国務会議にスコットランドの統治が託されることになった。

イングランドにとってさらに重要なことは、メアリ・ステュアートがついにエリザベスの王位継承権を認めたことであった。一五六〇年八月に開かれたスコットランド議会では教皇権が否定され、カルヴァン主義に基づく国家教会の樹立が決定された。こうしてブリテン島内では教皇権はしりぞけられ、エリザベスはフランス・旧教勢力がスコットランドから加えてくる圧力からは逃れることができたのであった。

しかし、ほぼイングランドの支配下におかれていたアイルランドでは、一五六〇年からシェイン・オニールの乱がおこっていた。政治的な支配ばかりでなく、アイルランド人の信仰である旧教にも圧迫を加えるイングランドのやり方に対する国民的抵抗であり、反乱開始の二年後の一五六二年に、一応シェイン・オニールが恭順の意を示したものの、イングランド支配に対する抵抗は何度も繰り返しておこり、エリザベスの治世末期まで続くのである。

強国フランスの弱体化

カトー・カンブレジ条約締結の三ヵ月ほど後、フランスではアンリ二世が四〇歳の若さで急逝した。条約締結を祝う行事の折に馬上槍試合に出場して、相手の槍を顔面に受けてそれがもとで死亡したとされている。この予期せぬ国王の事故死によって、フランスの政情はにわかに不安定になった。

メアリ・ステュアートの夫で、当時一〇歳代半ばだったフランソア二世が即位したが、この年少の国王の下で、すでに新旧両教の対立はフランス国内で激化しつつあった。

そのフランソア二世も翌一五六〇年に死去して、その弟シャルル九世が即位すると母后《ぼこう》カトリーヌ・ド・メディシスが摂政となったが、幼王と摂政はフランス国内の新旧両教の対立を収拾できず、ついに一五六二年春、新旧両教徒間で激烈なユグノー戦争が始まった。

西欧二大強国の一つフランスは、この国内紛争によって弱体化し、エリザベスも残る治世においてフランスから大きな脅威を受けることはほとんどなくなった。イングランドは時折このユグノー戦争の新教徒側を助けてフランスに介入し、カレーなどの拠点回復の野心をみせることになるのである。

このような一五五〇年代末から六〇年代初めにかけての情勢の変化は、エリザベスにとってはスコットランドとフランスからの脅威を除去してくれる幸運な方向に推移していったのであった。しかし今や未亡人となったメアリ・ステュアートが一五六一年にスコットランドに帰国したことは、やがてエリザベスに困難な問題を突きつけることになるのである。

4　物価と社会の安定をめざして

グレシャムの考えを採用

先に述べたように一五四〇年代から五〇年代前半にかけての（すなわちエリザベスの即位直前の）イングランドにおける急激な物価騰貴は、ヘンリ八世による貨幣の「大悪鋳」が背景となっており、これが原因となってイングランド貨幣ポンドの価値は下落した。ポンドの下落は、一方では毛織物の輸出を促進したが、他方で輸入品の高騰もまねいて国民生活の障害にもなった。

それればかりではない。アントワープなどにおける国際取引において、価値の下落した英貨ポンドが拒否されることさえおこってきた。

一五五二年以降、アントワープに駐在してイングランド国王の金融代理人をつとめていたサー・トマス・グレシャムはこうした事態をきわめて憂慮し、一五六〇年頃、親しい友人であった枢密議官ウィリアム・セシルに、品位の落ちた悪貨を良貨に改鋳するように女王に働きかけることを要請したようである。

このグレシャムこそ「悪貨は良貨を駆逐する」という経済学の有名な〈グレシャムの法則〉で知られている人物である。この法則は、良貨と悪貨が共に存在しているような通貨事情の下では、良貨は各人が退蔵してしまうので、市場には悪貨しか出まわらないことを明らかにしたものである。

こうしたグレシャムやセシルの提言をうけたエリザベスの政府は、一五六〇年代に入って銀貨の品位も良いものに戻す改鋳を進め、二年後の一五六二年にはこれがほぼ完了した。そして英貨ポンドの評価が再び上がり始めた。

これで輸入品の価格高騰は止まったが、ポンド安が毛織物輸出を促進する利点は消えて、イングランドの毛織物輸出ブームはついに去ってしまった。今日のわが国で円高になると輸出がやりにくくなるのと同じような状況である。

ここで、良貨への改鋳に大きな役割を演じたサー・トマス・グレシャム（一五一九～七九年）というテューダー朝時代の代表的経済人について多少述べておきたい。

彼の父は織物商組合の重鎮でロンドン市長もつとめた商人であり、その次男であるトマスはロンドンの金融の中心地であるロンバード街で金融の仕事にたずさわり、一五五二年以降、ネーデルラントのアントワープ駐在の国王の代理人として、財政上の決済や資金調達の仕事に従事した。

一五六五年、トマス・グレシャムはロンドン取引所設立を提言し、翌六六年に私財を投じてこれを実現させ、これを七一年、エリザベスが「王立取引所（ロイヤル・イクスチェインジ）」と宣言した。これはアントワープの取引所にならって設立されたもので、イングランド金融の中心であったばかりでなく、一種のショッピング・センターのような施設になっていた。

グレシャムはまた、商人の教育のためにグレシャム・カレッジを創設し、死後には彼の邸宅を遺贈することにした。

このカレッジには通常の大学と同じように神学、論理学、医学の講座もあったが、特に将来の海外進出に備えて、地理学、測量術、三角法に加えて航海術の講座も用意されており、講義も午前中はラテン語、午後には英語で行われていた。オクスフォード、ケンブリッジ両大学が聖職者養成のための神学の講座に重点をおいていたのに対して、科学技術と実用的な学問に重点をおいていたことがグレシャム・カレッジの特色となっていた。

富裕な大商人が居住地や出身地に学校を寄贈することは珍しいことではなく、この時代のイングランド商人層の底力をみせている。

貧困者を救う

一五六三年に開かれたエリザベス治世の第二議会では「職人規制法」「(新) 救貧法」「囲いこみ規制法」などが制定され、多くの社会問題が現れてきたイングランドの社会秩序の回復がはかられた。

まず「職人規制法」はすべての職人に七年間の年季奉公を義務づけ、治安判事による地域ごとの労働時間や賃金の規制(同時に物価の規制)を定め、製品の品質向上や社会の安定をめざしていた。

新しい「救貧法」は救貧、すなわち貧困者救済という考え方がまさに変革の時期にさしかかっていたことを示している。修道院の解散によってそれまでの貧困者救済の中心が失われたこともあったが、富裕者が任意に拠出する資金では運営が不可能になっていた。人口の増加や賃金にくらべて消費物資(特に食料品)の価格が大きく上昇したことなどによって、イングランドでは貧困者や失業者が増大していた。

新しい法令では、まず貧困者救済のための資金拠出を聖職者がよびかけ、その能力があるのに応じない者には処罰も規定された。これは、資金を強制的に拠出させる「救貧税」の方向に向かう第一歩であった。

そうした財源によって、働けない貧困者には救貧院を用意し、働ける貧困者には強制的労働を課す方向もしだいに明確になってくる。やがて一六〇一年、エリザベス時代末期には、こうした方向を集大成した「救貧法」が制定されるのである。

重商主義政策

また「囲いこみ規制法」はヘンリ八世時代からの農地の牧羊地転換を規制する政策が継承されているが、毛織物輸出ブームが去った一五六〇年代にはむしろ農業を改良して、穀物の生産性を高める囲いこみが主流になっており、ヨーマンなどの富裕な農民の同意を得た場合には法令の規制の対象にならぬものもあった。かつての「羊が人を食い殺す」といった状況はすでに過去のものとなっていた。

また、輸入を減少させ国産品をもってこれに代える政策は引き続きとられていたが、エリザベス時代に入って国際関係の緊張もあって軍需製品の自給をめざす努力が進められていた。

武器製造には欠くことのできない銅・鉄の鉱山や冶金・金属加工には特権会社が設立され、また火薬製造には初めて独占が認められ、国家の保護下に原料確保などに大きな特権が与えられていた。

毛織物輸出ブームは去ったものの、エリザベス時代を通じてイングランドは最盛期の七割程度の毛織物輸出量を維持していた。しかしそこには、旧来の厚地毛織物に代わって「新毛織物」とよばれる薄地のウールとウーステッドの混紡製品が開発されて輸出を支えていたことも見逃せない。

毛織物輸出が停滞する中で旧来の厚地毛織物の販路拡大も目標とされ、そのために一六世紀半ばにはアジア到達をめざす北東航路、北西航路開拓の試みもあった。

北東航路は北東方向にスカンディナヴィア半島の北をまわって、後者の北西航路はグリーンランド周辺からアジアへの航路を探そうとするやや無謀な計画であるが、この動きはスペイン、ポルトガルと衝突せずアジアに到達したいという願望が強かったことを示している。ただ北東航路は白海に出てロシアのアルハンゲリスク港に到達し、以後、多少ともモスクワ大公国への厚地毛織物輸出に道をひらいた。

こうした政策や経済立法には、王権の厳重な統制の下に経済活動や貿易を運営するという考え方があった。それはこの時代の外国との激しい国際競争に備えた政策でもあって、いわゆる「重商主義政策」ともよばれるものであるが、そうした理論の体系が先にあって、それから現実の政策を導き出したものではない。各国がきびしい現実に対応してつくりあげていった経済政策が、後にまとめて呼ばれるようになった名称なのである。

5　女王の恋

おしよせる求婚者

即位直後のエリザベスに対しては多くの求婚者があらわれた。スペイン国王フェリペ二世もその一人であった。神聖ローマ皇帝フェルディナント一世も、その次男あるいは三男との結婚を申しこんできた。ハプスブルク家は前女王メアリの時代と同様にイングランドを味方につけておくために、エリザベスとの縁組みに特に熱心だったように思われる。

しかし、いずれも相手国の旧教の信仰が障害となって、エリザベスはハプスブルク家の一員との結婚は考えていなかった。その点、新教国のスウェーデンは有利だったはずであり、当時の皇太子エリック(一五六〇年にエリック一四世として即位)はエリザベスとの結婚を熱心に望んだ。

ブリテン島内にも候補者はいた。父ヘンリ八世はエリザベス王女の将来の結婚相手としてスコットランドの第二代アラン伯の長男ジェイムズ・ハミルトン(一五三〇～一六〇九年、後に第三代アラン伯)を考えていた。ハミルトンは、後に新教徒となり次位のスコットランド王位継承権をもっていたので、一時スコットランドの新教徒も彼とエリザベスの結婚による両国の統合を期待したこともあった。イングランドにも、エリザベスの枢密議官であったアランデル伯などの候補者がいた。

しかしエリザベスは、こうした結婚話を軽くあしらうばかりで、本気で結婚問題を考えているようにはみえなかった。しかも彼女は一五六二年秋に天然痘にかかって、一時危篤状態に陥った。セシルら枢密議官は王宮のあるハンプトン・コートに駆けつけて、その場所で女王に万一のことがあった場合を考えて王位継承者の問題を協議したほどであった。

さいわいこの時はエリザベスは回復したものの、女王に子どもがいないことに対する不安がイングランド国内に広まった。そこで一五六三年の議会では、穏やかな言葉ではあるが上下両院から結婚と王位継承問題解決の要請がエリザベスに出された。

この要請に対してエリザベスは、結婚によって王位継承者を設ける意志があるという回答を議会に伝えたが、それは当時なお三〇歳前後であった彼女の本心であったのかもしれない。

しかし、一五七〇年代になって行われたフランスのヴァロア王朝との間で進められたアランソン公との結婚交渉は、あまり真実味のあるもののようには思われない。この交渉は、スペインに対抗する英仏両国の提携を固める外交上の駆引きに使われたようである。

その頃エリザベスは四〇歳に近く、相手のアランソン公は二〇歳以上も年下であった。それでも彼のあまりの熱心さに、エリザベスも一時はこの結婚を真剣に考えたといわれているが、一五七〇年代末、四〇歳代後半からエリザベスは独身のまま治世を終える覚悟を固めていたようにみえる。

しかし、最も結婚の可能性があった即位直後の一五六〇年前後に、エリザベスが結婚問題に見向きもしなかったのは、一人の男性ロバート・ダッドリの存在があったからだとみる者は少なくない。

ロバート・ダッドリ

貴公子ロバート・ダッドリ

ロバート・ダッドリ（一五三三〜八八年）は、エドワード六世時代後期に権勢を誇ったノーサンバランド公ジョン・ダッドリの第五子であった。

父ノーサンバランド公（一五〇二〜五三年）はエドワード六世死去の折にジェイン・グレイ擁立をはかって失敗し、これに係わった長男ギルフォードと共にメアリ一世の命によって処刑された。

またノーサンバランド公の父エドマンド・ダッドリ（一四六二〜一五一〇年）は法律家で、ヘンリ七世時代の有能な官僚で下院議長もつとめたが、ヘンリ七世の死後、前王の下での残酷なやり方と汚職をとがめられ、反逆罪でヘンリ八世時代初期に処刑された。ダッドリ家は二代にわたるこうした運命で「反逆者の家系」ともみられていた。

この当人ロバート・ダッドリもジェイン・グレイ擁立に加担したと疑われ、一時、ロンドン塔に拘禁されたが、許されてメアリ時代にはすでに兵器管理の長に登用されていた。エリザベスとはまったく同じ歳で、ともにロンドン塔に拘禁されていた時から互いに面識もあって、かなり親密であったともいわれている。

エリザベス即位直後、ダッドリは最初に官職に任命された者の一人であり、王室馬寮長（マスター・オヴ・ザ・ホース）に任命され、翌一五五九年には枢密議官にもなった。

「私のロビン」

エリザベスは、この長身で容姿の良い貴公子を大変気に入ったようで、ダッドリはつねに女王の身辺で過ごすようになり、周囲では二人は結婚するのではないかとささやかれるようになった。しかし困ったことに、ダッドリには妻エイミィ・ロブサートがいたのである。ついには女王とダッドリの二人の間に子どもができたと噂する者さえあらわれた。

幼児の頃からエリザベスを世話してきた侍女の中には、こうした不名誉な噂に決着をつけ、人々の非難を受けぬようにしてほしいと女王に諫言《かんげん》する者もあったといわれている。

そうした中で一五六〇年秋、ダッドリの妻が階段の下で死んでいるのが発見されたが、事実を調査した検屍官は事故による死亡と判断した。事態を憂えた妻の自殺ともみられているが、ダッドリ本人はともかく、その従者の犯行でなかったとも断定はできない。

エリザベス自身は、たしかにこの事件で一歩身を引いたようではあったが、彼女の恋心はすぐにはおさまらなかった。しかし、一五六一年頃になるとエリザベスは、妻の事故死という事件があったダッドリとは結婚できないという理性的な考え方をとるようになってきたものと思われる。

恋人ではなくなってもダッドリは寵臣としての地位は維持し、一五六四年、レスター伯に叙せられ、宮廷内でセシルと勢力を二分する一方の派閥の領袖《りょうしゅう》であり続けた。その後もエリザベスは、レスター伯を「ロビン」という愛称でよんで寵愛しており、外国の使臣の中には、彼を「女王の秘密の夫」と思った者さえいたといわれている。

若きエリザベスが宮廷人に恋心をもったからといって非難はできないであろうが、女王は最後には理性的に自分の感情を抑え、後で述べるメアリ・ステュアートの場合のような醜聞をおこすことにはならなかったのであった。

第三章　大国スペインとの対決へ

「この婦人の体内には一〇万の悪魔が巣くっています。こういう女王を相手に交渉しなければならないのは、ひどく手強い仕事です」

——駐英スペイン大使の報告から

ネーデルラント独立の指導者オラニエ公ウィレム

1　カトリック王国スペイン

新教徒弾圧

一五六三年、トリエント公会議は最後の第三会期を終えたが、これ以降が本格的な「反宗教改革」の時代となっていくのである。

一六世紀前半は、宗教改革の進展とそれによっておこった新旧両教対立の時代ではあったが、なおローマ教会側も新教徒にある程度譲歩しても旧教教会に復帰させることをめざしており、これにそってトリエント公会議も第一・第二会期は新旧両教の和解をめざす会議であった。

この試みが挫折した後の第三会期こそ、新教側に対する旧教側のまき返し、宗教裁判所や禁書目録などによって新教徒を抑圧して旧教教会再建をはかる方策、すなわち反宗教改革の方向が決定された会議であった。

新教の立場をとるイングランドは、この公会議への参加の招請を拒否したが、国内にはなお旧教の信仰を守る者もかなりおり、国教会に公然と反抗するような行動をとらない限り旧教徒がきびしい弾圧をうけることはなかった。

逆にフランスは旧教が国王の宗教であったが、教皇権からかなり自立した国家教会を形成していた。他方カルヴァン派新教徒（ユグノー）の勢力もかなりのもので、簡単に抑圧できるようなものではなかった。ここに新旧両教徒の間に宗教戦争であるユグノー戦争がおこる背景があった。

これに対してスペインの状況はかなり特殊なものであった。新教徒は一人たりとも許さずという強い方針で弾圧を続け、もしも新教にかぶれて帰国するような者がいたならば、伝染病感染者を隔離するような方法で周囲への影響を抑えていた。

たしかに一六世紀の絶対君主は新旧両教のきびしい対立の中で、いかにして自国内でこの対立を表面化させないようにするかという課題に直面していたことは事実である。しかしスペインは、なぜ英仏両国とは大きく異なる新教徒弾圧を行っていたのであろうか？

宗教裁判所の脅威

イベリア半島の地は八世紀のイスラム教徒による征服以来、長らくその支配下にあったことは周知の通りである。わずかに半島北部に勢力を残したキリスト教徒は、中世を通じて国土回復運動（レコンキスタ）を続け、一五世紀にはイスラム教徒はわずかにグラナダ周辺の地域を支配するにすぎなくなっていた。

一四九二年、そのグラナダもキリスト教徒の手に落ち、ここにレコンキスタは完成した。この間ローマ・カトリックのキリスト教に改宗しないイスラム教徒のムーア人、ユダヤ教徒（すなわちユダヤ人）は容赦なく半島外に追放された。

十字軍的な行動によって成立・発展したスペインは本来、他の宗教に対するきびしい抑圧を特徴としていた。またカスティリアとアラゴンの両王国の合同によって成立したスペインは政治・経済や文化の伝統の異なる二地域からなり、これを統合する唯一の原理としてローマ・カトリックの信仰に大きく依存していたのであった。ここに、正統な信仰を少しでも疑われる者には宗教裁判所によるきびしい処罰をもってする方針が、一五世紀以来堅持されてきた背景があった。

新旧両教の対立がおこる前に、すでに一万人以上を処刑したといわれる宗教裁判所がスペインを特徴づけるものになっていた。一六世紀前半、宗教改革の動きが始まった後も、スペインはこうした伝統から新教の信仰に極端にきびしい弾圧を進めることになったのである。これによってイベリア半島内では、ひとまず新教の信仰を封殺していた。

一六世紀後半は、反宗教改革とこれに対抗する新教徒（特にカルヴァン派）の抗争の時代であったが、その反宗教改革推進の主役を演じたのは、もちろんローマ教会であったが、これを軍事的・経済的に支えたのはスペインであった。

スペインのこうした強硬な新教徒抑圧の方針は、より自由な伝統をもつ地域に適用された場合にどのような紛争が生じることになるのであろうか。それがまさに一六世紀後半のネーデルラントの状況だったのである。

ネーデルラントの「乞食党」

一六世紀前半のネーデルラントは神聖ローマ皇帝カール五世の協調的な統治の下で、その統合が促進されており、ハプスブルク家とは良好な関係が維持されていた。カール五世はもともとネーデルラントの生まれであり、この地の伝統を基本的には尊重していた。こうした良好な関係は、スペイン王フェリペ二世の登場によって大きく変わってしまったのであった。

トリエント公会議が終了すると、スペインはネーデルラントにも、イベリア半島で行われていた異端審問の方法を導入して宗教裁判を強化した。そして旧教信仰への統一をはかり、カトー・カンブレジ条約で一応は対仏戦争が終了した後もスペイン軍をこの地に駐留させて無言の圧力をかけていた。

対仏戦争の巨額な戦費で財政難になっていたスペインは、ネーデルラントに新しい税を課したが、全国議会の開催を許さず地元の意見を聞こうとはしなかった。一五五九年、フエリペ二世がこの地を離れてから、執政マルゲリータ・ファン・パルマが統治をまかされていたが、実権はスペイン宮廷から派遣されたグランヴェルなどの外国人役人が握っていた。

このような旧教信仰の強制や地元の有力貴族を疎外した外国人による支配は、地元のネーデルラント民衆の強い反発をまねいた。またネーデルラントがスペインとは違って、中世以来の都市の自由を享受してきた地域であったことも、このようなスペインの統治に反発を強める背景となっていた。

ネーデルラント南部出身の大貴族であったオラニエ公、エフモント、ホールネらは公然とグランヴェルらの統治に反対し、一五六四年に彼を失脚させた。さらに中小貴族たちは宗教裁判による旧教強制に反対する盟約を結び、ブラッセルの宮廷におもむいて執政マルゲリータに「請願書」を提出した。

これら中小貴族の質素な服装をみた執政の側近の一人が「彼らは乞食（ゴイセン）にすぎない」と軽蔑したことで、彼らは自らを「乞食党（ゴイセン）」と名乗ることになったのである。

ゴイセンをネーデルラントのカルヴァン派であるとする説明がよくみられるが、本来それは中小貴族を指すものであり、その中のカルヴァン派が特に活発な反スペイン活動を推進したために、右のような説明も行われるのである。彼らは武装蜂起に訴えることも協議し、亡命中の新教徒もこの動きに期待して故国に戻る者も出てきた。

一五六六年、カルヴァン派の野外説教に集まった多くのネーデルラント民衆は、ついに聖像破壊運動にたち上がった。一五六三年以来、イングランドで流行していたペスト伝染を抑えるためとして、ブラッセル政府が対英貿易を停止させていたことが、イングランドの羊毛や毛織物を原料とするこの地の毛織物加工業を停止させ、多くの失業者が出ていたことも民衆の不満を高めていた。

スペインの統治に不満をもつネーデルラントの大貴族は、民衆運動の高揚を恐れてこの時は執政側と和解し、翌一五六七年、ひとまず秩序は回復されることになった。

スペイン軍、ネーデルラントを弾圧

スペイン宮廷では、こうしたネーデルラント情勢に対して硬軟両様の対応が協議されたようであるが、強硬な方針をとる一派が勝ちをおさめ、一五六七年夏、スペインのアルバ公が一万のスペイン軍を率い、執政に等しい権限を与えられてネーデルラントに到着した。アルバ公は、旧教信奉を誓約することなどを住民に強要し、これに従わぬ者たちを容赦な

く追放・処刑する恐怖政治を始めた。

こうして翌一五六八年から、ネーデルラント反乱がおこることになるのであるが、対岸のイングランドもまだ直接にスペインの脅威をうけたわけではなかったが、無関心ではいられなかった。

ネーデルラントの新教徒が完全に抑圧されてしまうようなことになれば、新教の立場をとるイングランドの国教会も安泰ではすまなくなるであろう。一六世紀後半にスペインが中心となって推進していった反宗教改革の動きが、イングランドに大きな脅威となる最初の兆しがあらわれてきたのであった。

ネーデルラントなどをめぐってイングランドとスペインが対決する一五八〇年代の動きに進展していく原点が、すでにこの一五六〇年代の状況の中にあったのである。

2　スコットランド、アイルランドの動乱

メアリ・ステュアートの再婚

一五六〇年一二月に夫のフランス国王フランソワ二世が死去したため、翌六一年夏にメ

アリ・ステュアートはスコットランドに帰国した。帰国後数年は彼女も、実権をにぎる新教徒の親イングランドの貴族たちの助言に逆らわず、この地の情勢に波乱がおこることはなかった。

まだ二〇歳を少し過ぎたばかりのメアリには、当然のようにいくつかの再婚の話がもち上がった。フェリペ二世は王子ドン・カルロスの結婚相手に望んだようであるが、これにはエリザベスが強く反対し、自分が結婚をあきらめたばかりのロバート・ダッドリとの再婚をメアリに勧めた。スコットランドがあらたにスペインと結びつくことを恐れたためであろうが、これにはメアリが大いに怒ったようである。

そこでメアリは自分の好みによって、スコットランドの名門貴族レノックス伯の子ダーンリ卿ヘンリと一五六五年に再婚した。この貴公子はヘンリ七世のひ孫にもあたり、メアリには従兄にあたっていた。そうした血筋の者と再婚したことは、メアリのイングランド王位継承権に一層の重みが加わってきて、エリザベスにとっては一段と不気味な存在になってきた。

政略ではなく自らの好みによってスコットランド貴族と再婚したメアリであったが、まもなく夫のダーンリ卿と不和になっていった。フランス風の洗練された教養をもつメアリからみれば夫は粗野で、その上に嫉妬深かった。

メアリの音楽教師で側近でもあったイタリア人リッチョが妻と親密すぎると嫉妬したダーンリ卿は、手下の者にメアリの面前でリッチョを別室にひきずり出させて殺害させた。この事件でメアリと夫は決定的に不和となり、二人の間に一五六六年六月、王子ジェイムズが誕生しても、二人が和解することはなかった。

メアリはダーンリ卿から逃れるために、ボズウェル伯と親しくなったともみられている。そうした中で一五六七年二月、深夜に大きな爆発音がした後で、殺害されたダーンリ卿の死体が発見された。

メアリはこの事件の首謀者と疑われていたボズウェル伯と、その年の五月に三度目の結婚をしたが、スコットランドの貴族たちは新旧両教の別なくこうした女王の行動に反発し、危険を感じたボズウェル伯は国外に逃亡し、女王は貴族たちに捕えられた。彼女は王子ジェイムズへの譲位を強要され、身柄を南東部にあるリーヴン湖の孤島の城に幽閉された。

国内の平和を乱すような行動があれば、君主といえどもどのような扱いを受けるかわからないことを示す事件であり、メアリ自身にはそうした事態を避けるバランスのとれた感覚が欠けていたということもできよう。

メアリ、イングランドへ逃亡

スコットランド王位を追われたメアリ・ステュアートは、翌一五六八年春に幽閉されていた城を脱出し、彼女を支持する旧教徒の軍に合流すると、スコットランド摂政マレー伯の軍と戦ったが、あっけなく敗れてイングランド北部に逃亡した。

彼女にはフランスに逃亡するという選択もあり得たが、敗北の身で、従う者たちも少なかったので、ひとまずイングランドに逃れたのであった。メアリは逃亡後、繰り返しエリザベスに書簡を送って、彼女がスコットランド王位に復帰できるように援助してほしいと懇願した。

エリザベスはスコットランドの情勢については、新教徒貴族が幼い国王の下で実権を握っている現状の方が自分にとっては有利であると考える一方、もしもメアリがダーンリ殺害に加担していないなら、正統な君主としての権威は回復されるべきであり、その場合は、彼女に反抗した新教徒貴族こそ反逆の罪に問われるべきであると考えていた。

そこでエリザベスはメアリをめぐる事情を聴取して彼女を査問することにし、まずヨークでノーフォーク公など三人の枢密議官による事情聴取を行い、さらに場所をウェストミンスターに移してセシルやレスター伯も加えて、一五六八年末まで慎重にメアリの査問を進めた。

翌六九年一月に発表されたこの査問の内容は、摂政マレー伯をはじめとするスコットランド新教徒貴族には君主に不当に反抗したという罪の証拠はなく、他方メアリには、有罪の決定的な証拠もないが疑惑もないわけではないというきわめてあいまいなものであった。

これによって摂政を中心とした新教徒貴族のスコットランド統治はひとまず認められ、メアリはイングランドで高貴な身分としての待遇を受けながらも、ゆるやかな軟禁状態におかれることになった。その軟禁の場所も、旧教徒の彼女に心を寄せる者たちが少なくないイングランド北部を避けて、中部に移されることになった。

エリザベスにしてみれば、この一五六〇年代末にはネーデルラントでアルバ公による恐怖政治が行われて大きな不安が生じてきた上に、イングランドに身を寄せてきたこのメアリを抱えて、少しも油断できない状況がおこっていた。

メアリはなおイングランドの王位継承権をもったまま、二〇年近くイングランドで軟禁生活を送ることになるのであるが、彼女の存在がエリザベスの王位にとって代わるべきものとして大きな脅威となるような一五八〇年代の西欧の国際情勢は、まだ展開してはいなかった。

そうした鋭い緊張が生じるのはやはり、イングランドとスペインがきびしい対立関係になってからのことであった。

反乱続くアイルランド

イングランドのアイルランド支配は中世にはかなり進んでいたが、一四〜一五世紀にはイングランドの王権が弱体化し、ケルト系である先住民ゲール人の勢力が回復してきたため、イングランドの支配地域は小さくなり、その支配権も弱まっていた。

イングランド系の大領主が就任していたアイルランド総督も、ダブリン中心の四つの州（これは「ペイル」とよばれる）を支配するにすぎなくなっていた。またそのアイルランド総督も、バラ戦争当時の混乱などによって、ほとんどイングランド王権の統制には服さなくなっていた。

テューダー朝はアイルランド支配の再建をめざして、これまで総督として大きな権力をふるっていたキルデア伯を没落させ、イングランド王権によるアイルランド直接統治の強化をめざした。

しかし、アイルランドをイングランド国王の下に統合しようとするテューダー朝の政策はエリザベスの時代になっても、必ずしも十分な成果をあげていなかった。特に、アイルランド東北部のアルスター地方（現在、「北アイルランド」としてイギリス連合王国の統治下にとどまっている地方）では、最強のケルト系二大氏族が抗争をくり返していた。また、その一方の雄オニール族の内部でも抗争がおこっていた。

ケルト系氏族への強圧的な政策ではアイルランド統治は不可能とみたエリザベスは、一五六二年、抗争の渦中にあったシェイン・オニールをロンドンによんで、彼に国王への服従を宣誓させ、彼をアルスタ地方の支配者と認めた。

しかし帰国した彼は、再び他の氏族との抗争をくり返し、メアリ・ステュアートやフランス国王と結ぶ姿勢をみせたため、翌一五六三年以降、再びイングランド軍の攻撃をうけることになった。これが一五六〇〜六七年のシェイン・オニールの乱であったが、氏族間の抗争で彼自身が殺害されて、一応終結した。

旧教国スペインの影

しかし、この頃のアイルランドの反抗には、今一つ宗教上の理由があった。一五六〇年、アイルランド議会は国王至上法、礼拝統一法を成立させており、形式上は宗教改革は完成していたが、新教の信仰を浸透させていく努力はイングランド側からほとんど行われておらず、ペイル地域を除いてはイングランド国教会の活動は行われていなかったといってよい。逆に旧教側では大陸からやってきたイエズス会士などが精力的に活動して、旧教信仰を維持・強化していた。

そうした状況の中で、外国の反イングランド勢力と結びつく可能性があるとして旧教徒を抑圧するのは無駄な努力でしかなかった。新教を普及・定着する努力をしないまま、アイルランド人が旧教徒にとどまっているとして敵視するのは、イングランドの手前勝手な立場にほかならなかった。

そこでシェイン・オニールの乱が終わっても、なお一五六〇～七〇年代にスペインの支援をうけたフィッツモーリスやデズモンドの乱が相次いでおこったのであった。かくてアイルランドの国民的反抗は、エリザベスの治世末年まで彼女を悩まし続けたのである。

3 険悪化する対スペイン関係

北部諸侯の反乱

一五六六～六九年は、エリザベスにとって内外ともに多難な時期であった。

スペインの貴金属運搬船を大西洋上でイングランド船が襲ったことや、ネーデルラントにいるアルバ公に届けるスペインの軍資金をプリマスやサウサンプトンの港で差し押えた(形式上はフェリペ二世に代わってエリザベスが、ジェノアの銀行からこの資金を借りる形をとった)ことで、イングランドとスペインの関係は険悪になった。

スペインがネーデルラントとイングランドとの通商を禁止すると、エリザベスもスペインの対英通商を禁じ、相互に資産差し押えも行った。一方、フランスとはイングランドのユグノー支援などで関係が悪化していた。

この困難な時期の一五六九年に国内では、反セシルの動きがメアリ・ステュアートとノーファク公の結婚の計画を中心に動いていた。これには、セシルのライヴァルであるレスター伯も一時加担していた。

ノーファク公は、ヨークでのメアリの事情聴取の時から彼女と連絡をとっていた。自らは旧教徒でないと主張し、おそらく新教徒であったと思われるノーファク公の心にも、メアリの夫となって彼女とともにイングランド王位につく野心が芽生えていたようである。

反セシルの保守派貴族はこの結婚を実現してメアリをエリザベスの王位継承者として承認し、差し押えたスペインの資産を返還して友好関係を回復し、フランスに対してはユグノー支援を一切止めることで和解するという政策転換を求めていた。

この計画には、イングランド北部の旧教徒の有力貴族であるノーサンバランド伯やウェストモアランド伯に加えて、駐英スペイン大使も関与していた。こうした旧教徒はエリザベス廃位とともに旧教信仰の復活をもくろんでいたようである。イングランドでは孤立無援であったメアリもノーファク公に親密な手紙を出して、この計画に期待をかけていた。

しかし、この計画に一時加担していたレスター伯が身を引き、ノーファク公自身も女王に詰問されて自らの領地にひきこもり、ウェストモアランド伯に行動をおこさないよう求める手紙を送ったが、一五六九年一〇月、ノーファク公はロンドン塔に拘禁された。

しかし一一月には、ノーサンバランド伯、ウェストモアランド伯を中心とした北部の旧教徒は反乱にたち上がった。近くローマ教皇がエリザベスを破門する教書を出す予定で、その準備をしているという情報も彼ら旧教徒の決意をうながし、ネーデルラントにいるスペイン軍の支援も期待していた。

彼らはイングランド北部のダラムに入城し、その地の大聖堂で旧教のミサ聖祭を行い新教の書物を焼いた。これが「北部諸侯の反乱」である。反乱の知らせを聞いたエリザベスは、ただちにメアリの身柄を、軟禁していたタトベリー（スタッフォードシャー）からもっと南のコヴェントリに移させ、軍隊を集めて反乱側に対抗させたため、反乱側はヨーク以南に進出することはできなかった。

一五六九年末までに、首謀者であった二人の伯はスコットランドに逃亡し、反乱はあっけなく失敗した。期待していた北部の他の旧教勢力が反乱に加わらず、勝利の見込みがないとみたネーデルラントのアルバ公も援軍を送らなかった。

ローマ教皇、エリザベスを破門

メアリは北部諸侯の反乱の失敗後、この時は直接には加担していなかったため、翌一五七〇年夏に釈放されたノーファク公に再び期待することになった。反乱の首謀者は逃亡してしまったため、一般の反乱参加者にきびしい処罰があり、約六〇〇人が処刑された。

ローマ教皇ピウス五世は一五七〇年二月、エリザベスを破門する教皇教書を発したが、すでに反乱は鎮圧されており、これ以上イングランドの旧教徒がエリザベス廃位の行動を続けることはなかった。

すでに新教教会樹立の方向を明確にしていたエリザベスに対して、ローマ教皇庁はそれ以前にも彼女の破門を考えていたが、それまではスペインのフェリペ二世がむしろこの動きを抑えていた。

しかしスペインに対する敵対行動を容認するようになったエリザベスに対しては、もはやフェリペ二世もこれを抑えようとはしなかった。やがて一五八〇年代に頂点に達する両者の対決は、この時期にすでに始まっていたのである。

潜入するイエズス会士

イングランドの旧教徒はエリザベス治世下での新教の国教会確定とそのイングランド社

会への定着をみて、新しく旧教信仰の浸透をはかる必要を痛感し、国外におけるイングランド人宣教師の養成、そうした宣教師の本国潜入を計画するようになった。

ウィリアム・アレンはオクスフォード大学の要職を捨てて国外に亡命していたが、一五六八年、旧教の神学校をフランスのドゥエイに設立した。この神学校などで養成された宣教師やイエズス会士が、やがてイングランドに潜入することになる。彼らの中には反エリザベスの陰謀に加担する者も多かった。

そうした陰謀によってエリザベスに代わるべきイングランド国王として、いつもかつぎ出されるのはメアリ・ステュアートであった。エリザベスはそうしたことを知りながら、なおスコットランドの実権を握る新教徒貴族と交渉して条件を整え、メアリをスコットランド国王に復位させるために努力を続けた。

もしもメアリが、自分をイングランド国王に擁立しようとする国際的な陰謀に一切関与することなく、彼女がイングランドに逃亡してきた時にエリザベスに援助を求めたように、自らのスコットランド王位への復帰のみを望んだのだとすれば、その希望は実現したかもしれなかった。

メアリはエリザベスに自分のスコットランド王位への復帰に援助を与えてくれるように懇願する一方で、彼女に代わってイングランド王位につこうとする国際的陰謀にも加担するといった人物であった。彼女はまた、ノーファク公に自分との結婚を期待させるような甘い手紙を書くと同時に、フランスのアンジュー公(後のアンリ三世)や神聖ローマ皇帝カール五世の庶子ドン・ファン・デ・アウストリアにも同じような手紙を出していたのであった。

リドルフィの陰謀

ローマ教皇のエリザベス破門の教書が出された直後に動きだして、後に発覚したものが、「リドルフィの陰謀」である。ロベルト・リドルフィはフィレンツェの銀行家で、ながらくロンドンで仕事をしていたが、教皇の策略の手先としてスペイン大使やノーファク公などと接触していた。

彼らの計画は、ネーデルラントに駐屯するアルバ公の軍六〇〇〇から一万人がイングランドの東南部か、南岸の港湾から上陸し、ノーファク公ら貴族が反乱をおこすというものであった。その目的は旧教信仰の復活とメアリとノーファク公の擁立であり、この二人がイングランドとスコットランド(すなわちブリテン島全体)を統治することを夢みていた。

リドルフィは、多くのイングランド貴族を反乱にたち上がらせる段取りをしたつもりで、この計画をローマ教皇などに報告するために大陸に戻ったが、彼の計画はきわめて甘いもので、実際にはイングランドでごくわずかの味方を得ていただけであった。そのためローマ教皇やスペイン政府はこの計画を歓迎したものの、現実的な見方をするアルバ公はこの程度の計画には安易に乗らなかった。

この間セシルらは、この計画の進行を一五七一年秋には気づいており、これにスペイン大使が関与していることがわかると、この年のうちにスペイン大使の退去を命じた。ノーファク公は捕らえられて反逆罪で有罪を宣告され、翌一五七二年六月に処刑された。リドルフィ自身はすでにイングランドを離れていて処罰を免れていた。

この陰謀発覚によってエリザベスのメアリに対する態度に変化がみられた。彼女はもはやメアリのスコットランド王位復帰を支援することに熱意を示さなくなった。しかし、イングランド議会がこの陰謀に加担した疑いの濃いメアリの責任を追及しようとすると、エリザベスはこれを禁止した。

この陰謀は発覚して失敗したが、なお一五七〇年代には、何人かの旧教の宣教師がイングランドに潜入し、一五七〇〜八〇年代にはアイルランドでスペインの支援を期待する反イングランドの反乱がおこった。また八〇年代にはエリザベス自身の殺害を狙う国際的陰謀も再びおこるのである。

しかしこのリドルフィの陰謀の折りに、セシルの下ですでにこうした動きに対応する情報網が「メアリ時代亡命者」の一人であったフランシス・ウォルシンガムを中心につくられており、後には秘密警察といってもよいほどの組織に成長していった。エリザベス自身の身の安全は、こうした組織によってかろうじて守られていたのである。

ピューリタンの国教会批判

国教会に服従しない者たちの一方の極に旧教徒がいて、その旧教信仰復活の願望が時に外国勢力の反エリザベス陰謀に加担させることもあったが、他方の極に国教会の礼拝様式や聖職服にきびしい批判を投げかけるピューリタンがいた。

前者の現体制転覆の動きに対抗するためには、国教会の現状には批判的であってもピューリタンの熱意を活用すべきであると考えている主教たちもいて、実際に旧教勢力の強いイングランド北部や新教信仰の浸透が不十分なウェイルズなどで、多少国教会に批判的な説教者を活用して福音（すなわち新教の信仰）の宣教をはかる動きもみられた。

イングランド・ウェイルズにおいてはアイルランドの場合とは違って、旧教勢力に対抗するために新教信仰の普及をはかる努力もかなり行われていたのである。しかし一五七〇年代に入って、新しい観点から国教会を批判するピューリタンの動きもおこってきた。

その発端となったのは、ケンブリッジ大学の神学教授トマス・カートライトの聖書の「使徒行伝」に関する講義であった。

カートライトの主張

イエスの死後における使徒たちの活動を記した初代教会の歴史が新約聖書の「使徒行伝」に叙述されているが、その中から聖書に定められたあるべき教会統治機構を探ろうとするカートライトは、主教制は後に人間が定めた制度であって、長老教会制こそが本来の聖書に定められた教会のあり方であると論じたのである。この長老教会制は、カルヴァンがジュネーヴで採用していた教会体制であり、カートライトは一層徹底したカルヴァン主義者であったともいえよう。

カートライトの講義には学内からも、国教会の根幹を揺るがす考え方を説いているという告発があり、その理由で彼は教授職から解任された。

カートライトの考え方を支持する新しいピューリタンのグループである長老教会主義者(長老派)は、こうした女王のやり方に不満をもち「議会への勧告」と題する文書を作成して議会に提出した。二度にわたるこの「勧告」で、彼らは従来の礼拝様式などについての一層の改革を要求する主張をかかげただけでなく、国教会が主教制に代わって長老教会制をとるべきであることも主張した。

これに対して国教会当局側からも、後にカンタベリ大主教となるウィットギフトが「勧告」に反論して、主教制擁護の論陣をはった。

4　ネーデルラント、対スペイン戦争に決起

ネーデルラントに反乱勃発

一五六七年、ブラッセルに到着して恐怖政治を始めたアルバ公は、軍隊の力で各都市を威嚇《いかく》し、これまでスペイン統治への抵抗の先頭にたっていたエフモント、ホールネらを逮捕して処刑した。このエフモントの活動を題材にしてゲーテは戯曲「エグモント」を発表し、ベートーヴェンがこれに劇音楽をつけたこと（現在はその序曲〈「エグモント序曲」〉のみがよく演奏される）は有名である。

この頃、ネーデルラントから国外に逃れる人々が増大し、その数は一万人に達した。これら亡命者は国内と連絡をとって、ドイツでカルヴァン派の教会会議を開いて結束を固めていた。

ネーデルラントの大貴族オラニエ公の周辺には水夫、漁夫などの民衆を含む海乞食（「ゼ

ーゴイセン」とよばれ、海上で反スペイン活動を行った乞食党《ゴイセン》）が集まり、スペイン船や教会・修道院の襲撃を始め、スペイン統治に抵抗しアルバ公打倒を狙う運動を進めていた。オラニエ公自身は一五六七年春、アントワープを脱出して、ドイツ領内でネーデルラント侵攻を計画していた。

　こうしたオラニエ公や海乞食《ゼーゴイセン》のスペイン支配への抵抗には、英仏両国や北ドイツ都市も好意的で、フランスはオラニエ公の弟が募兵や資金集めをフランス国内で行うことを黙認し、海乞食は拿捕《だほ》活動の根拠地としてフランスのラ・ロシェル、イングランドのノリッジ、ドイツのエムデンの港を利用することができた。

　しかしアルバ公はネーデルラントの強い反対を押し切って、全国統一の物品税による新課税方式を導入する一方、イングランドと交渉して海乞食の入港を禁止するように求めた。この頃のエリザベスは、なおスペインとの決定的な対立を避けており、その要求をいれて海乞食の入港を禁止した。

　そのため海乞食は、ネーデルラント西海岸の港を急襲して根拠地にする機会を狙っていたが、一五七二年春、ついにブリール港を攻略し、さらに西海岸にいくつかの根拠地をおくことに成功した。

　この頃、イングランド人で航海者としても知られているサー・ハンフリー・ギルバートが義勇軍を率いてゼーラント(ネーデルラント南西部の州)防衛に参加したが、これは彼の個人的な活動であり、イングランドの国家としてのネーデルラント支援ではなかった。

こうした強い抵抗にあって、一五七三年、アルバ公はネーデルラント総督を辞することをスペイン国王フェリペ二世に申し出て、七四年に後任のレクェセンスが新総督となった。

国土を水びたしに!――冠水作戦

一五七四年、スペイン軍のライデンへの猛攻にあったオラニエ公は、運河の堤防を一部破壊して国土を水の下に沈めて敵の進軍を防ぐ、いわゆる「冠水作戦」を行うことをホラント州に了承させ、ようやくホラント、ゼーラント両州を確保することに成功した。

「冠水作戦」はこれよりほぼ一〇〇年後、フランスのルイ一四世の侵攻に対して再びとられたが、国土の一部が海面下にあるネーデルラントの極め付きの国土防衛の手段だったのである。

一五六八年以来、この一五七四年にいたるネーデルラントの反乱は、アルバ公に代表されるスペインの圧政をはねのけることが目標であり、なお独立を具体的に構想するところまではいっていなかった。

ここまでの経過でさえ、スペインが自国内で行っているような新教抑圧や強圧的な統治を強行すれば、ネーデルラントでは時に英仏両国の支援も得て、激しい抵抗がおこり得ることが明白になったのであった。

イングランド「海賊」、スペイン船を襲う

イングランドは一五六〇年代末から、スペインに敵対する行動を少しずつとり始めていた。しかしスペイン本国との通商停止はともかく、ネーデルラントとの通商停止はアントワープ経由の毛織物輸出が止まることになって、イングランドにとっても打撃は大きかった。

大国スペインとの対決を危ぶむ声も強く、国内から決定的な対決には反対の声も上がった。

しかし、イングランド南岸を拠点とする半ば漁民の「海賊（シー・ドッグズ）」の中には、必要とあらばフランスのユグノーの首領からも私拿捕《しだほ》

16世紀のネーデルラント

免許状を手にいれてスペイン船を襲う者もあったので、なかなか国家による統制は困難であった。

こうした連中が一五七〇年代前半のフランシス・ドレイクの西インド諸島方面への数度の遠征を支えたのであり、彼の世界周航（実際には南米のスペイン領の攻撃であって、太平洋・インド洋を通って帰ったもの）も、そうした海上攻撃に手慣れた「海賊」的人材があって、はじめて可能になったのであった。

イングランドの「海賊」は、新世界における旧教徒の独占的支配の打破、黒人奴隷の貿易、貴金属運搬船の拿捕などをめざし、スペイン側から大いに恐れられていた。こうした行動の背景には強い反旧教徒・反スペインの感情があり、そうした感情を共有する議員たちは一五七一年の女王の第三議会に、きびしい反旧教徒法案を提出したが、エリザベスの拒否にあって成立しなかった。彼女はこうした感情には簡単に同調せず、慎重な態度をとっていたことを示すものである。

接近する英仏関係

スペインが反宗教改革の路線にそった新教抑圧政策をイベリア半島の外で進めるようになると、英仏両国はこれを警戒して相互に接近する方向に進んでいった。もちろん、両国の間にもイングランドが時々ユグノーを支援することをめぐって対立する問題もあった。

しかし一五七〇年以降には大きな視野でみると、英仏両国の接近がかなりはっきりした傾向になってきている。

この時期にエリザベスの結婚相手として、フランスの王弟のアンジュー公(後のアンリ三世)が浮かび上がってきて両国間で折衝が行われた。彼がフランス国王アンリ三世となった後には、さらにその弟アランソン公とも結婚の可能性が検討された。

しかしすでにエリザベスは四〇歳前後であって、アンジュー公でも彼女より一八歳年下、アランソン公にいたっては二一歳も年下であった。どうもこの結婚交渉には今一つ真実味が薄かった。むしろ、この時期の英仏両国接近の政治的なゲームのように思われるのである。

英仏両国の友好はかなり重要であると思われていたようで、一五七二年に両国間でブロア条約が結ばれた。その主な内容は、両国のいずれかが第三国の攻撃をうけた場合には他の国は同盟国を援助すること、フランス国内にカレーに代わるイングランド商品の特定市場(ステイプル)を設置すること、両国がスコットランド情勢安定のために協力することの三点である。まさにスペインを意識した攻守同盟といってもよいものであった。

しかしこの英仏両国の友好関係を大きく動揺させるような重大事件が、この条約締結直後の一五七二年八月におこった。それが有名な「聖バーソロミュー（聖バルテルミ）の虐殺」であった。

ユグノー（新教徒）であるブルボン家のアンリ（後のアンリ四世）と王妹マルグリットの婚儀に参列するため、パリに集まっていたユグノーの主要人物の殺害がまず行われ、ついで全国でユグノー虐殺がおこった事件であり、全国で数万人のユグノーが殺害された。

この事件について釈明するためにイングランド宮廷を訪れたフランスの大使フェヌロンは、謁見まで四日も待たされた上に、喪服姿で抗議の気持ちを示す宮廷人の列を通ってようやくエリザベスに謁見すると、ただちに彼女から痛烈な非難の言葉をあびせられたのであった。

この事件で殺害されたユグノーの首領のコリニー提督は、対スペイン戦争さえ構想していたといわれるが、これがむしろブロア条約の英仏提携の路線であったと考えてよいであろう。

その後シャルル九世（一五七四年没）、アンリ三世の二人は、スペインの支援をうけて新教徒の徹底的弾圧をめざすギーズ公（聖バーソロミューの虐殺の首謀者の一人といわれる）の一派とこれに対抗する新教徒のユグノーの激しい対立を収拾することができず、なおユグノー戦争は続いていくのである。こうした状況の中でスペインと結ぶギーズ公一派に対抗する国王周辺とユグノーは、むしろイングランドと結ぶ傾向をみせていた。

一五七〇年代半ばのイングランドは、なおスペインとの決定的な対決にふみきれなかった。逆にスペインも苦境にあるネーデルラント情勢の中で、イングランドと決定的に対立することは避けたかったのである。

緊張する対スペイン関係

一五七三年以来、イングランド、スペイン両国の和解のための折衝が続けられていたが、翌七四年、両国の間にブリストル条約が締結された。イングランド、スペイン両国は相互に差し押えていた資産の返還あるいは保証を約束した。しかし条約には、新大陸への無許可の貿易や大西洋上などでの私拿捕活動についてはふれた個所がなかった。

結局、フェリペ二世はこうした点についてイングランドから何の約束も得られなかった上に、大陸のいくつかの都市からのイングランド旧教徒の追放を約束せねばならなかった。スペイン側の立場の弱さがあらわれているようである。

この両国の和解によって、イングランドとネーデルラントおよびスペインの間の通商は一時的には回復した。しかしこの両国間のつかの間の和平は長くは続かず、やがてネーデルラント情勢の緊張などによって、一層激しい対決に突入していくのである。

第四章　スペイン無敵艦隊を撃滅

「私は自分が女性として肉体が弱いことは知っているが、一人の国王として、
またイングランド国王としての心と勇気とをもっている」
——防衛軍将兵に対するエリザベスの演説から

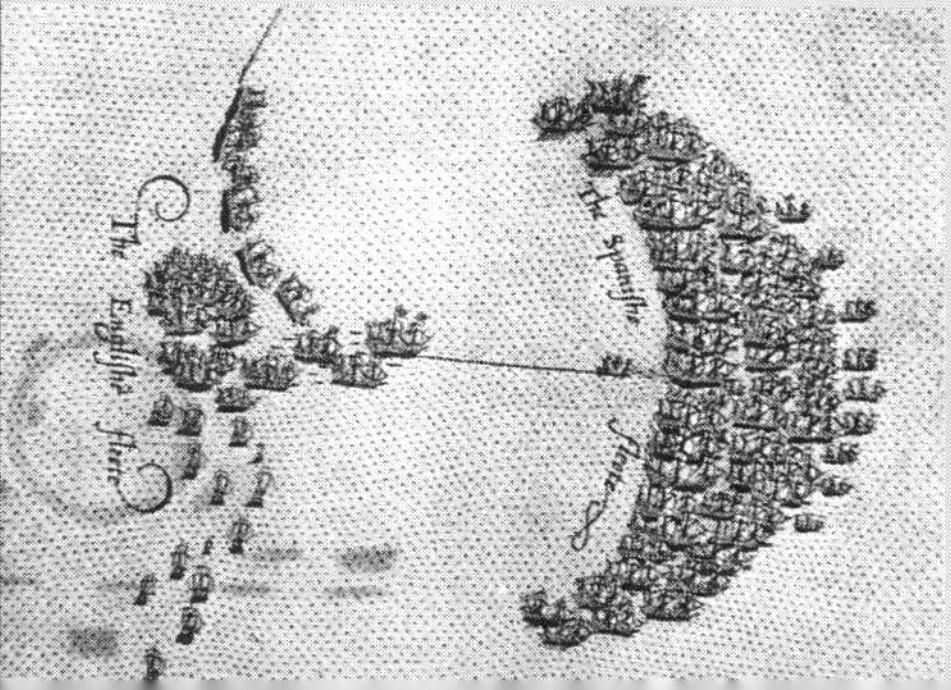

プリマス沖のイングランド艦隊〈左〉と
三日月形の陣形をとる無敵艦隊〈右〉

1　イングランド船、スペイン領を襲撃

「海賊」ドレイク

イングランドのスペインに対する私拿捕活動（プライヴァティアリング）は、一五六〇年代から始まり、一五七〇年代には活発になっていた。

この「私拿捕活動」というのは、たんなる海賊行為、犯罪者の海上での盗賊活動ではなく、君主など世俗権力から私拿捕免許状（マルク）を得て、その君主にとって敵、あるいは敵となり得る外国の船舶を洋上で襲撃・拿捕する行動だったのである。

命がけでこの活動を行う者たちには戦利品のおよそ半分の分け前が与えられることになっていた。いわば、宣戦布告なき海上の戦争といったものであった。

この私拿捕活動はイングランドのみが行っていたのではなく、フランスのユグノーやネーデルラントの海乞食《ゼーゴイセン》も行っていた。当初、イングランドもヨーロッパ大陸の周辺で、この活動を展開していたが一五七〇年代になると、この活動範囲をカリブ海まで広げていった。

一五四五年、新大陸のポトシ（現在のボリヴィア）で銀山開発に成功したスペインは、新大陸の貴金属（主として銀）獲得の頂点に近づきつつあった。銀を満載したスペイン船は、西インド諸島で集結して船団を組み、イベリア半島に戻ってグァダルキビル川を上り、セヴィリアでこうした積荷を陸揚げしていた。

そうしたスペインの新大陸からの貴金属輸送を狙ったのが、イングランド船による私拿捕活動であった。その活動で活躍するようになるジョン・ホーキンズ、フランシス・ドレイクの二人は、いずれもイングランド南西部のプリマス港を根拠地とし、一五六〇年代半ばから西アフリカの黒人奴隷の新大陸スペイン領への輸出、新大陸商品の輸入を行っていた初期の大西洋貿易商人の仲間だった。

一五六八年、ドレイクも参加したホーキンズ指揮下のイングランド武装商船五隻がメキシコの港に入ろうとした時、スペイン艦隊の急襲をうけて三隻を失い、かろうじて捕獲を免れた二隻の船でホーキンズ、ドレイクの二人は別々に故国に逃げかえるという事件がおきた。

翌一五六九年以降、ドレイクはこの事件の報復として新大陸のスペイン植民地を相次いで襲い始めた。一五七二〜七三年の航海ではドレイクはスペイン船を奪って、パナマ地峡の貴金属集積地ノンブル・デ・ディオスを襲撃し、二万ポンドに上る略奪品を手に入れ、初めてパナマ地峡から太平洋を遠望してこの大洋への思いをはせたといわれている。

一五七〇年代前半には、すでにドレイクの名はスペインの新大陸植民地に知れ渡っており、「エル・ドラク（竜）」とよばれていた。彼は悪魔であって人間ではなく、それ故に超人的な力を発揮しているのだと恐れるスペイン人も多かった。

ついでドレイクは一五七七〜八〇年に、彼のゴールデン・ハインド号で、いわゆる「世界周航」を行った。この航海は南米大陸西岸のスペイン支配地域を攻撃・略奪することと、いま一つは当時ポルトガルが独占していた香料諸島（現在のインドネシア領モルッカ諸島）にイングランドの貿易根拠地をつくることを目的としていたようである。

マゼラン海峡から太平洋に出てインド洋からアフリカ南端をまわって八〇年にプリマスに帰還した時、彼は戦利品五〇万ポンド以上をイングランドにもたらしたのであった。

女王の手でドレイクをナイトに

駐英スペイン大使メンドサはこれらは海賊の盗品であると非難したが、エリザベスはただちに「スペインもアイルランドに干渉し、新教徒の貿易にひどい扱いをしているではないか」と反論した。

そればかりか、エリザベスはデットフォードの船着き場にいたドレイクの船を訪れ、自ら剣をとってドレイクの肩にあて、彼を女王の正式なナイトに叙したのである。この時エリザベスは、同行したフランス使節に向かって「スペイン国王は彼の首を欲しがっているのですよ」というと、面前にひざまずくドレイクを剣で打首にするふりをしてから叙任式を行い、「さあ、お立ちなさい。サー・フランシス」といったと伝えられている。ドレイク自身も戦利品の分け前で、郷里に大きな修道院跡地を購入したのであった。

復原されたドレイクの船ゴールデン・ハインド号

一方、この間にホーキンズは一五七七年に海軍出納官に登用されて、イングランド海軍の増強を監督することになった。彼は海軍力増強にあたって、あらゆる腐敗や汚職を根絶したばかりか、陸軍とくらべると、ずっと効率の良い強力な海軍を建設したことで大きな功績があった。

ともにプリマス近くの出身の二人の海の男ドレイクとホーキンズが、一五六八年のメキシコにおけるスペインの仕打ちに憤激して、片やスペイン船舶や植民地を襲う激しい私拿捕活動を展開すると、他方は海軍建設に力を尽くして将来のスペインとの本格的対決に備えたのであった。この二人が大西洋におけるイングランドの黒人奴隷貿易を軸とした通商活動にともに関わっていたことも注目すべきであろう。

短命だった「ガンの平和」

一五七〇年代半ばまでイングランドはスペインとの全面的対決は避けながらも、ネーデルラントがスペインに完全に占領されて旧教を強制されたり、その自由を完全に失ってしまうことのないように、目立たぬ支援を続けてきた。

一五七五年、スペインのネーデルラント総督が死去すると、給料支払いが止まったスペイン軍は、この地で略奪・暴行を繰り返し、地元の貴族や民衆の強い反感をかっていた。また、この頃までスペイン側についていたアントワープとアムステルダムは、海乞食《ゼーゴイセン》の活動で海への出口を制圧されて、その貿易に大きな打撃をうけていた。

こうした状況を打開してネーデルラント解放をめざすオラニエ公は南部の都市ガンに進撃してスペイン軍を追放し、宗教的寛容に基づくネーデルラント全州の統合をはかり、この地の貴族や全国議会の支持を得て一五七六年、ひとまず「ガンの平和」を実現させた。

しかしネーデルラント各地の地域対立やスペインの新総督による策動もあって、この「ガンの平和」は長く続かず、この間にやや過激なカルヴァン派民衆が革命的行動に走ったこともあって、スペイン側によるネーデルラント南北の離間策が功を奏してくることになった。

一五七七年末、エリザベスは使節をマドリッドに派遣して、フェリペ二世に書簡を届けさせ「ネーデルラントの流血は、貴下の名誉と利益のためにも悲しむべきことで、われわれが調停してはどうかと考えます」と伝えさせた。フェリペは丁重にではあるが調停は拒否した。ともに財政難に陥っていた両国王は、なお当時は決定的な対立を避けようとしていたのであった。

一五七八年にネーデルラント総督となったパルマ公アレッサンドロ・ファルネーゼは、かつての執政マルゲリータ・ファン・パルマの子であったが、総督就任前の七八年一月、ネーデルラント議会軍を破り、その年一〇月、総督となって南部との和解を画策した。

翌一五七九年、ネーデルラントの南部諸州は、旧教の維持、スペイン国王への服従、特権の保障を掲げてアラス同盟を結成し、全国議会と離れてスペイン国王に帰順した。これに対し北部もオラニエ公を中心に団結を固めて、同じ頃ユトレヒト同盟を結成した。

ここに新教の色彩の強いネーデルラント北部の反スペイン・反旧教闘争が、帰順した南部とは別に展開されることになり、一五八一年に独立宣言を出して、いわゆるオランダ独立戦争への第一歩を踏み出すことになった。

アントワープ陥落

苦境にあったオラニエ公はフランスやイングランドの支援を求め、一時はフランスのアンジュー公(エリザベスの結婚交渉の相手でもあった)をネーデルラントの主権者に迎えたりしたが、この試みは失敗に終わった。

スペインの総督パルマ公はこの機をとらえて、南部支配の再建に乗り出し、一五八五年、ついに商工業の中心地アントワープを陥落させた。その陥落前に新教徒中心の商工業者は、混乱とスペインの旧教強制を避けるために数多くの者がアムステルダムに移住した。やがて、この地がネーデルラントの商工業の新しい中心となっていったのである。

アントワープ陥落の一年ほど前にオラニエ公ウィレムは暗殺され、その息子マウリッツが跡をついでいたが、ユトレヒト同盟は存亡の危機に直面していた。一方、これを圧迫するスペインでは一五八〇年、ポルトガル王エンリケの死にあたって相続協定に基づき、フェリペ二世がポルトガル王位をも兼ね、両国を同君連合の下に支配するようになっていた。

この時期にスペインがネーデルラントへの圧迫を強め、アルマダ(無敵艦隊)によるイングランド攻撃を計画(その目的はエリザベスの廃位、メアリ・ステュアートの擁立にあった)した背景には、このポルトガル併合による国力の増強があったのである。

寵臣レスターをネーデルラント支援へ

スペインの総督パルマ公は本国から新たな軍資金を与えられ、彼自身の巧妙な作戦によってネーデルラント南部の支配を固めつつあった。

ユトレヒト同盟は親フランス政策が挫折した後、今度は親英政策をとってエリザベスをその主権者に迎えようと画策した。この八〇年代半ばスペインとの対立がかなり深刻になった時期でも、エリザベスはこの主権者の地位を引き受けることによって、対立を決定的にすることは避けたかった。

さりとてユトレヒト同盟を見捨てて、ネーデルラントをスペインが蹂躪《じゅうりん》するままにしておくことはできなかったので、エリザベスは陸軍を派遣してパルマ公による全ネーデルラント制圧を阻止しようと考え、寵臣レスター伯を司令官とする五〇〇〇の兵を一五八五年末に送りこんだ。その際、エリザベスは彼に対して、その地の統治を委ねられるような職についてはならぬと、きびしい指示を与えていた。

レスター伯はほぼ二年間にわたって遠征軍の指揮にあたったが、それは軍事的にではなく政治的な面で失敗の連続であり、彼にとっては苦い思い出を残すものとなった。

その失敗の原因はいくつかあるが、その第一はレスター伯が個人的な野心に走って、女王の指示に反して遠征軍が支配する地域を統治する事実上の総督職についたことであろう。これにはエリザベスが激怒したと伝えられるが、そうした職にレスター伯がつくことでネーデルラントの複雑な地域間の利害対立にまきこまれて、彼は対処に窮する立場にたたされてしまったのであった。

もう一つの原因は、イングランド陸軍は海軍にくらべて十分に改革されておらず非能率的で、その運営に不正・腐敗が多く、イングランドが重い負担に耐えてつぎ込んだ貴重な軍資金が有効に生きていなかったことがあげられるであろう。

失意のレスター伯は一五八七年末にはアルマダ来襲に備えて、本国防衛のため帰国するが、イングランド軍そのものは一七世紀初頭までこの地の戦闘に加わって、一五九〇年代から一七世紀初めにかけて、ユトレヒト同盟のスペイン軍に対する勝利にも、かなり貢献したのであった。

ユトレヒト同盟を支援

外国君主を主権者に招くという政治的な面では、ユトレヒト同盟が英仏両国に依存したことは大失敗であった。この失敗にこりた同盟は、自らの力で独立を模索していくことになる。しかし軍事的・国際政治的な面からみれば、英仏両国の存在が、やがてネーデルラント連邦共和国として独立を達成することに貢献したといってよいであろう。

フランスのユグノー戦争の最終段階で、スペイン王フェリペ二世はネーデルラント総督パルマ公にフランス旧教同盟の支援を命じたため、彼はフランス各地を転戦することになり、これによってスペインのユトレヒト同盟に対する圧力はかなり減少した。また、後述するアルマダ戦争でイングランド海軍に敗北したスペインは、かなり大きな損害をうけ、これもユトレヒト同盟を利することになったのであった。

これまでの経過の中から一六世紀後半には、スペインのネーデルラント抑圧（後にはユトレヒト同盟への圧迫）に対抗して、英仏両国がネーデルラントないしユトレヒト同盟側を支援するという国際政治の構図がみてとれるのである。

2　スペイン、無敵艦隊の遠征を準備

ポルトガル併合

スペインは一五八〇年のポルトガル併合によって国力を増強し、その後の積極的な外交

政策を展開し始めた。

一六世紀のポルトガルは西欧諸国の先頭をきってアジアに進出し、やがて大商船隊(その多くは海外での危険に備えて武装していた)をもって香料貿易を独占していった。ついで南米大陸北東部にも進出しブラジルを植民地とした。まさにポルトガルの全盛期ともいうべき時期であり、この国を併合したことは、スペインに大きな国力を加えることになった。

一五五七年、幼少でポルトガル国王に即位したセバスティアン一世は、イエズス会士によって教育をうけ十字軍的な情熱に燃えていた。母后や叔父エンリケ枢機卿の摂政の指導から自立して国政の実権を握ると、北アフリカ沿岸にあるモロッコのイスラム教徒攻撃を計画することになる。

一五七八年、セバスティアン一世はモロッコ遠征で敗北して戦死し、老齢の叔父エンリケ枢機卿が国王に即位した。この時エンリケが跡継《あとつ》ぎなく死去した場合には、その姪《めい》の夫スペイン国王フェリペ二世がポルトガル王位を継ぐという相続協定が結ばれた。

そこで一五八〇年のエンリケの死去の折りに、フェリペ二世は王位継承権を主張し、ポルトガルの高位聖職者や一部の貴族の支持を得た。しかし、ポルトガルには都市の市民や農民の支持を得た王族の庶子ドン・アントニオという対立候補者がいた。彼はフランスの支持も得ていたが、アルバ公指揮下のスペイン軍がドン・アントニオの軍を破って、フェリペ二世にポルトガル王位を確保した。

スペインは同君連合の下でポルトガルを併合することによって大きな利得を得たが、逆にポルトガルにはむしろ損失が大きかった。スペインと結んだばかりにイングランドやユトレヒト同盟（もはや「オランダ」とよんでもよい）を敵にまわすことになり、ポルトガルの海外植民地や貿易拠点はイングランド、オランダ両国の攻撃をうけて、アジア貿易は半減してしまった。

日本の九州三大名（大友、有馬、大村の三キリシタン大名）が派遣した天正遣欧使節の四人の少年が一五八四年、リスボンに上陸して謁見したのが、ポルトガル国王フェリペ一世（スペイン国王としてはフェリペ二世）であった。彼の名は当時マニラを中心にスペインが支配を広げつつあったフィリピンにも残されており、アジアにゆかりの深い西欧君主だったのである。

無敵艦隊でイングランド侵攻を

一五七〇年代後半からイングランド、スペイン両国の敵対関係はしだいに深刻化していったが、なおエリザベスもフェリペ二世も決定的な対決は避けていた。

しかし一五八〇年代半ばになると、イングランドのネーデルラント派兵によって、両者の対決は抜き差しならぬものになりつつあった。これが両国の第一の対立点であった。こうして八五年頃から、ようやくフェリペ二世はスペインの大艦隊によるイングランド攻撃を構想し始めた。

この構想は、オスマン・トルコ艦隊とのレパント岬(現在のコリント湾ナウパクトス岬)沖海戦(一五七一年)において、スペイン艦隊勝利の立役者となったサンタ・クルーズ侯が、すでに八三年に提唱していたといわれるが、当初フェリペ二世は非現実的としてとり合わなかった。しかし八五年になると彼はこの構想を再考し始めた。そこへパルマ公がネーデルラント駐留のスペイン軍をイングランド侵攻に動員する構想を提案して、フェリペ二世の構想もやや固まってきたのであった。

しかしこの段階になってもフェリペ自身も、また先の提案を行ったパルマ公もネーデルラントにおけるユトレヒト同盟・イングランド側との和平をなお考慮しており、まだ「無敵艦隊(アルマダ)計画」は構想がいくらか固まっていったにすぎなかった。

また両国の第二の対立点として、イングランドの新大陸貿易へのわり込み、スペインの貴金属運搬船への私拿捕活動があった。

いま一つ、第三の対立点として見逃せないのが、イングランドのイスラム世界との接近である。それは、いずれもこの一五八〇年代に設立されたオスマン帝国との貿易拡大をはかるレヴァント会社(八一年設立、「レヴァント」は地中海東部のこと)、北アフリカ沿岸との貿易開発をはかるバーバリ会社（「バーバリ」は北アフリカ沿岸のこと、八四年設立で「モロッコ会社」ともいう）の存在であった。

イングランド側にイスラム勢力と結んで、スペインに対抗しようとする意図がどの程度あったか不明であり、そうした意図はあまりなかったのではないかとも考えられる。しかしスペイン側は、このイングランドの動きに警戒感をつのらせた。

一六世紀前半にスペイン、ドイツを支配していたハプスブルク家のカール五世に対抗するフランスのヴァロア家が、ハプスブルク勢力に敵対するオスマン帝国とゆるやかな同盟を結んで、カール五世の覇権に対抗したことがあった。この記憶がフェリペ二世に、イングランドのイスラム勢力との接触に神経をとがらせる背景になっていたと思われる。

このようにスペイン、イングランドの対立が一五八〇年代に深刻化したのは、さまざまな要因が重なった結果だったのである。

旧式のスペイン艦隊、新鋭のイングランド艦隊

スペイン海軍は一五七一年、サンタ・クルーズ侯の指揮下に、オスマン帝国海軍にレパント岬沖海戦で大勝利をおさめたとはいっても、ガレー船を中心にしたかなり旧式な艦船を主力としていた。

「ガレー船」とは古代ギリシアから地中海で活躍した軍用船で、艦首の水面下に敵艦を突き破る巨大な衝角《しょうかく》（ラム）を備え、多数のオールを両舷側《げんそく》に三段ぐらい重ねて配列し、それらを奴隷や罪人にこがせるものであった。スペイン海軍のガレー船は艦首と艦尾に数門の大砲を備えた一段配列のオール船で、戦闘時の推進力はこのオールを使ったが、三本ほどの帆柱も備えていて長距離の帆走もできる二〇〇トンくらいまでの軍艦であった。

この時期でもスペイン海軍のガレー船は艦首に衝角をもち、敵艦の側面に艦首を衝突させると剣や斧をもった兵士が敵艦に切り込むという戦法で戦うことを主としていた。すなわちスペイン艦隊の戦い方は、ある意味では古代ギリシアとペルシアとが戦った名高いサラミスの海戦以来の伝統をひく「船板の上に乗った陸兵」の戦闘で敵を屈服させようとするものであった。

レパント岬沖海戦のスペイン艦隊には、新大陸進出の航海にも活躍した三本マストの帆船であるキャラック船、一六世紀に新しく登場した大型帆船であるガレオン船も六隻ほど含まれていた。しかし、これらとても「船板の上に乗った陸兵」の戦闘を作戦の中心にした艦隊の中の一要素なのであった。

これに対するイングランド艦隊は、艦船の総数でも、総トン数でもスペイン艦隊に見劣りはしたものの、その主力は二〇〇〜五〇〇トンくらいのガレオン船によって構成されており、左右両舷に搭載する多数の大砲の砲撃力によって敵艦を制圧し、海戦の雌雄を決する能力をもった新鋭の艦隊であった。

戦艦アークロイヤル号（ガレオン船、540トン）

スペインはポルトガル併合によって、その大型帆船中心の商船隊をも活用できるようになった。当時は大型の商船は少なくとも軽度の武装はしており、多少の改装によって軍艦として使用することもできた。こうした増強によってもイングランド上陸を狙うという大作戦には、なお十分ではないと考えたフェリペ二世は、当時スペイン領だったナポリ王国の艦隊をも、この計画に動員できるように手はずを整えていた。

アルマダ計画には艦船の準備が最重要の課題であったことはいうまでもないが、それだけで準備が十分だったわけではない。大艦隊の行動に必要な食糧や船具、武器・弾薬から被服、給水用の樽にいたるあらゆる準備が必要であった。

こうした準備は一五八六年頃から進められており、

最後にはすべてリスボンに集められることになるが、スペイン南西部のカディス港などでも必要な物品の集積、艦船の新造や改装が進められていた。

3　メアリ・ステュアート処刑

エリザベス暗殺計画

一六世紀後半、特に一五八〇年代は西欧の君主ないし為政者の暗殺が頻発した時代であった。一五八四年にはユトレヒト同盟(＝ネーデルラント連邦共和国)の統領オラニエ公ウィレムが、八九年にはフランス国王アンリ三世が暗殺された。

エリザベスも当然その命を狙われていた。一五八〇年代に入ると、ローマ教皇はエリザベスを殺害する人物が出たならば、その人物に祝福を与えるとまで宣言した。

そこで、イングランド内外の旧教徒がエリザベス殺害のさまざまな計画をたてることになった。その中にはイングランド国内の旧教徒の個人的陰謀もあったが、多くはスペインやローマ教皇と結んだ国際的陰謀として計画されていた。

まず一五八四年夏には、スロックモートンの陰謀が発覚した。その前年、旧教徒のフランシスとトマスのスロックモートン兄弟はかなり長期にわたって大陸を旅行し、亡命中のイングランド旧教徒と連絡をとった。

それによってフランスのギーズ公やローマ教皇グレゴリウス一三世も関与する大きな陰謀が進行中であることを知ったスロックモートン兄弟は、これに自ら関与するようになった。その陰謀はエリザベス殺害、メアリ擁立、イングランドにおける旧教信仰の復活を、スペインのイングランド侵攻によって実現しようとするものであった。

しかし、彼らのメアリとの秘密の連絡を入手していたウォルシンガムらは、帰国したスロックモートンの兄が、この陰謀の推進役になっていることを探知しており、一五八三年末、彼らを逮捕してきびしく取り調べた。

陰謀に加担していたイングランドの貴族とジェントリの氏名を白状させられた上、翌八四年にスロックモートン兄は処刑された。またスペインのイングランド駐在大使メンドサも、この陰謀に関与していたとして枢密院の取り調べをうけた後に国外退去を命じられた。彼はこの時代のスペインの最後のイングランド駐在大使となった。これがスロックモートンの陰謀であった。

女王の命を狙う者に死を！――「復讐の盟約」

このように危険な陰謀が発覚して、未然に防がれた直後にセシルとウォルシンガムはエリザベスを守るために「連合盟約（ボンド・オブ・アソシエイション）」を国民の間で結ぶことを構想して、その原案を作成した。

これはたんに女王を守るために団結しようという通りいっぺんの盟約ではなく、ある人物を王位につけようとしてエリザベスの殺害を企てる者がいた場合、その人物の王位継承を認めないばかりでなく、どんな手段を使ってでもその人物を殺害するというかなり激しい内容のものであった。

もしもエリザベスが殺害されるようなことがあっても、メアリは絶対に王位にはつかせず、メアリをも殺害することを誓う〈復讐の盟約〉ともいうべきものであった。これはローマ教皇がエリザベス殺害を是認・奨励するような宣言を出したことへの対抗措置でもあり、ジェントリなどもこの盟約に加盟できることになっていた（というよりも加盟するよう無言の圧力がかかっていた）。

このような一五八三〜八四年の状況の中で、情報機関を動かしていたウォルシンガムなどは、そのように考えていたかもしれないが、エリザベス自身はメアリを陥れて処刑に追い込むという考えはまったくもっていなかった。

むしろエリザベスはこの時期でも、メアリとスコットランドの国王ジェイムズ六世（この頃すでに一〇歳代後半に成長していた）や貴族たちの間をとりもって、メアリをスコットランド女王に復位させる道をなお探っていたのである。もちろん、それはメアリが国際的な反エリザベス陰謀に加担することを阻止しようという意図から出たものであった。

このスロックモートン陰謀の段階では、陰謀計画者はスペインのイングランド侵攻を期待していたが、フェリペ二世はまだアルマダ計画にふみきってはいなかった。スペインがようやくアルマダ計画を具体化し始めたのと連動して進行したのが、次に述べる一五八六年におこったバビントン陰謀なのであった。

ウォルシンガムの情報機関、バビントン陰謀を暴く

この陰謀は、その名がついているバビントンが首謀者ではなかった。むしろパリ在住のメアリの代理人トマス・モーガンとイエズス会士のジョン・バラードの二人こそが首謀者であった。一時メアリの監視役をつとめたシュルズベリ伯の小姓であったアンソニー・バビントンは一〇歳代の終わり頃の一五八〇年に大陸を旅行して、バラードらによってこの陰謀にひきこまれたのである。

イングランドに帰国したバビントンは、偶然にも陰謀とはまったく関わりのない手紙をメアリから受け取り、その返事として（もちろん、慎重に隠された形で）その時パリを中心に進

行していた反エリザベス陰謀について詳細にメアリに報告した。

しかしこの手紙は、ウォルシンガムが率いる情報機関の手に入っていた。彼はこうしたことがおこることを予想して、旧教徒の寝返った者をメアリの周辺に忍び込ませ、バビントンのメアリあての手紙を入手したのであった。

ウォルシンガムにとっては、メアリの反応が問題であったが、二、三の手紙のやりとりの中でメアリがこのエリザベス殺害の陰謀を歓迎し、それを成功させるためのいくつかの助言さえしていることをつかんだ。これらすべての手紙はウォルシンガムの部下に読まれた上で彼に報告され、その後にメアリに届けられていた。

この陰謀はたしかにフェリペ二世がアルマダ計画を具体化させつつある時におこったが、陰謀の発覚が早かったために、スペイン軍のイングランド侵攻と連動するところまで進められなかった。

一五八六年八月初めには一味の者の最初の逮捕が行われ、メアリ自身も狩猟に誘い出されて外出中に二人の秘書は捕らえられ、彼女のすべての書類が押収されて、陰謀は簡単に崩壊してしまった。九月末までにバビントンはじめ一味の者たちは逮捕されて、ロンドンで絞首刑に処せられてしまった。

ウォルシンガムは、メアリがこの陰謀に加担しているという十分な証拠を握っていた。

むしろ十分な証拠を握る間はメアリや反エリザベス陰謀の一味の者たちを泳がせておいたのであった。この点、ウォルシンガムはエリザベス本人とは違って、明らかにメアリを陥れて処刑に追い込む意図をもっていたと言ってよいであろう。警戒心が十分に強くなかったメアリは、いわば彼の罠《わな》に落ちたのであった。

エリザベス、死刑執行令状に署名

バビントン陰謀の発覚後、メアリはそれまでの居館チャートリー(ダービシャー)から、よりロンドンに近いフォサリンゲイ城(ノーサンプトンシャー)に移された。枢密院は彼女のロンドン塔拘禁を望んだが、エリザベスがこれを許さなかった。そしてフォサリンゲイ城で一五八六年一〇月、メアリの裁判が開始された。

メアリは君主として、こうした裁判を免れる特権を主張したが空しかった。彼女の有罪を証明する証拠は十分に集められていたが、彼女は罪を否認した。エリザベスはメアリが罪を認めれば、極刑を免れさせようと考えていたが彼女の否認によって、この道も閉ざされた。彼女の罪状は有罪ならば判決は死刑しかあり得ないものであった。一〇月に開会された議会もメアリの即時処刑を請願した。

メアリの処刑がのびのびになって大幅に遅れたのは、エリザベス自身のためらいによるものであった。君主の処刑に対する諸外国の非難も気にかかることであったし、国王ジェイムズ六世から国民全体も含めたスコットランドの激しい反発も憂慮された。

しかしイングランドとその君主の安全、新教信仰の維持のために、メアリの速やかな処刑は避けられぬものであった。こうしたディレンマを避けるため、エリザベス側近の中から、裁判による処刑ではなく、暗殺によるメアリの死を計画する者たちもいて、一時その計画も練られた。

しかし一五八七年一月頃にはメアリが脱獄したとか、スペイン軍が上陸してきたとかいう不穏な噂が国内で飛びかうようになった。ぐずぐずしていれば本当にスペイン軍の侵攻がおこって、国内の旧教徒の反乱がおこるかもしれなかった。

二月一日、ついにエリザベスはメアリの死刑執行令状に署名した。しかし令状の送達をすぐに命令しなかった。この令状を勝手に送達する者が出てきたら、その人物にメアリの死の責任を転嫁するような気持ちがエリザベスにはあったようである。この不運な役を引きうけてしまったのが、前年秋から病気で休んでいた秘書長官ウォルシンガムの代理を務めていた第二秘書長官のウィリアム・デイヴィソンだったのである。

メアリの最期

ついに一五八七年二月七日に、メアリの死刑執行令状がフォサリンゲイ城に送達され、二月八日朝、四四歳のメアリは断頭台の露と消えたのであった。この知らせが伝わるとロンドンではお祭りさわぎのような祝賀が行われたといわれている。

他方、スコットランドでは国民の間に激しい怒りが広がり、イングランドとの開戦を叫ぶ者や親イングランド貴族を罵倒する者などがいた。しかし、スコットランド国王ジェイムズ六世はイングランドとの友好関係を損なうような行動は一切とらなかった。死刑執行令状を送達した不運なデイヴィソンは、その責任を追及されて逮捕・投獄され、法外な罰金も科せられたが、後に釈放され罰金で失ったものも回復したようである。

メアリ・ステュアートが反エリザベス陰謀に加担するようなこともなく、スコットランド王位への復帰（もし実現していれば息子ジェイムズ六世との共同統治となったかと思われるが）のみを願っていれば、その望みはかなったかもしれないというのは、かなり可能性のある推定である。しかし堅い信念をもつ旧教徒として養育されたメアリは、やはり新教徒のエリザベスをしりぞける陰謀に加担せざるを得ない運命にあったのかもしれない。

メアリこそ一六世紀後半のイングランドの国家と王位の安定を揺るがせた悪の張本人であるといった見方は、あまりにもイングランドないし新教徒の観点にかたよりすぎているように思われる。その一方で、メアリが人間的で豊かな文学的センスをもった女性であったのに対して、エリザベスは冷酷・非情でメアリを処刑に追いやったのだという見方は、あまりにもメアリの肩をもちすぎていて、エリザベスがメアリの処刑に踏み切らざるを得なかった苦悩を正当にみていないというべきであろう。

メアリが処刑に追いこまれた背景には一六世紀後半の新旧両教徒のきびしい対立、イングランドにのしかかってきたスペインの影といった時代の状況が横たわっている。

そうした状況の中でメアリは「あまりにも人間的な」ともいうべき行動によって、ブリテン島全体に大きな波紋をひきおこし、逆にエリザベスは時に、冷酷・非情とさえみえるほどに、自分の感情を抑制した態度をとって、ブリテン島全体に安定をもたらしたとみることもできるように思われるのである。

4　アルマダ戦争へ

エリザベスのためらい

一五八五年末以降には、イングランド、スペイン両国ともに相手のやり方をみて、全面的な対決に踏み切ってもよいだけの理由は十分にあった。スペイン側からみれば、イングランドのユトレヒト同盟支援の出兵は対英開戦の理由となり得るものであった。逆にイングランド側からみれば、八五年秋にスペインの港で自国の穀物運搬船がスペインに差し押えられたことは、宣戦の理由ともなり得る敵対行動であった。

しかしイングランド、スペイン両国は、すぐに宣戦して全面対決に入るようなことはしなかった。スペインは行き詰まっているネーデルラント情勢を打開するためには、できればイングランドとの和平を実現したいところであった。

イングランドも財政状態がきわめて悪く、ネーデルラント派兵もあまり成果をあげていなかったので、エリザベス自身やセシルも和平を実現できればと思っており、それが実現すればスペインのアルマダ計画によるイングランド侵攻も中止させることができるのではないかという期待をもっていた。

他方、強硬派のレスター伯やウォルシンガムなどは、スペインとの対決を望んでいた。メアリ・ステュアートが処刑される頃までには、スペインはすでにアルマダ計画によるイングランド侵攻の具体的な準備を進めており、イングランドもその来襲への対応に迫られていた。しかし両国とも、なおネーデルラントでの和平実現の期待をもっていた。

これまでスペインに対する海上攻撃に活躍していたドレイクは、アルマダ計画を失敗させるには、まずスペイン本土に先制攻撃をかけて、その艦隊や進行中の計画に大きな打撃を与えることが急務だと主張していた。しかし、肝心のエリザベスがなかなかこうした先制攻撃に許可を与えなかった。やはり彼女は戦争回避を最後まで考えていたのである。

結局ドレイクの出撃には、一五八七年四月になってエリザベスの黙認が与えられた。彼女は洋上での私拿捕活動のみを行い、スペイン本国を襲撃しないように指示した文書をドレイクあてに送ったが、これが届かぬうちに彼の艦隊は出港してしまった。

ドレイク、カディス港を奇襲

三〇隻近い艦隊を率いたドレイクは、四月末にスペインのカディス港の沖合にあらわれた。当初狙っていたリスボンは防備が堅いとみて、攻撃目標を防備が手薄なカディスに変更したのである。

彼は大胆にも港内にイングランド艦隊を突入させ、アルマダ計画の準備のために集積されていた多くの軍需品を焼き払い、三〇隻近い艦船を破壊した。帰路にもドレイクはポルトガル西南の岬を支配下において、スペインの計画進行を妨害し、アゾレス諸島沖では私拿捕活動を行って東インドから帰ってきたポルトガルの大型武装商船を捕らえ、一四万ポンドにのぼる戦利品を得た。

この無謀とも思える大胆なスペイン襲撃が、なぜ大きな戦果をあげ得たのであろうか。

それはイングランド艦隊のもつ圧倒的な砲撃力が敵の反撃を制圧したからであった。こうした砲撃力をもつガレオン船に対しては、敵艦にはい上がって甲板上の戦闘を挑もうとするガレー船はまったく歯が立たず、同じガレオン船でも砲撃力が劣っていれば対抗できなかった。

ドレイクは彼があげた大きな戦果について、自ら「カディスではスペイン王のひげを焼いた」と語っていたと伝えられている。この発言はこの程度の戦果ではまだ安心できず、イングランドはさらに海の守りを固める必要があることを語ったものと考えられる。しかしカディス奇襲は、ドレイクがいかにスペイン艦隊の弱点を正確に把握していたかを示すものであるといってよいであろう。

アルマダ総司令官メディナ・シドニア公

ドレイクが予想したようにスペイン艦隊はカディスでかなりの打撃をうけたものの、アルマダ計画をなんとかたて直して、一五八七年夏以降には再び計画を推進し始めていた。しかし計画は大幅に遅れ、さらに八八年二月にはスペイン海軍の有能な提督でレパント岬沖海戦の英雄サンタ・クルーズ侯が死去してしまった。フェリペ二世はこれに代わって、アンダルシア総督のメディナ・シドニア公をアルマダの総司令官に任命したが、彼は海軍にはまったくの素人だったのである。

メディナ・シドニア公は一三〇隻あまりの艦船に一万数千の兵員を積んで出発すること を命じられ、さらにネーデルラント沖でパルマ公の軍一万数千を乗せて、イングランド攻撃に向かうように指示されていた。

ネーデルラントにいたパルマ公にも、この計画に従って行動するよう命令が送られたが、アルマダ計画が一五八七年秋に開始されると期待していたパルマ公の下では、むしろ兵員や軍需物資はその後減少していた。

パルマ公はネーデルラントやフランスの情勢に自信がもてず、さらにスペインの艦隊が入港して、パルマ公の軍隊を乗船させるべき良好な港を確保できていなかったこともあって、彼はイングランド側との和平交渉を進めたい希望をフェリペ二世に伝えたのであった。しかし、すでにアルマダ計画は動きだしてしまっており、遅れていた準備も一五八八年春にはようやく整ってきた。

スペイン国王の作戦指令

一五八八年四月中にスペイン艦隊はリスボンにほぼ集結し終わり、フェリペ二世はメディナ・シドニア公にあてて、作戦の大要や細部の注意すべき点を何度も書き送った。そこにはカディス港を襲撃された折りに得た反省点などがもりこまれており、国王の指示内容そのものは誤ったものではなかった。

その要点は「まずパルマ公の軍との合流が重要で、それまではイングランド艦隊が攻撃してきても、なるべく戦闘を避けて、積極的に攻撃しないように」「敵艦はスペインの艦より速度があり、射程の長い砲を備えているので、敵は距離をおいて近づいてこないであろう。そこでスペイン艦隊は風上の位置をとって、一気に攻め込み接近戦の機会を狙うこと」などであった。かなり確実な情報や反省に基づいたものなので、フェリペ二世はかなり自信をもって、こうした指示を与えたと思われる。

しかし問題は、国王自身がこうした細部の作戦にいたるまで指示するということ、それ自体にあったように思われる。エリザベスが海軍長官ハワードやホーキンズ、ドレイクなど海戦の場数を踏んだ艦隊指揮官の経験と判断を信頼して、彼らに作戦全体をまかせたのに比べると、あまりに細かい点まで国王の指示がおよんでいた。このために、スペイン側では現場指揮官の裁量の余地が狭められており、彼らはそれによってかなり萎縮した状態になっていたのではないかと思われるのである。

一五八八年五月半ば、ついにスペイン無敵艦隊(アルマダ)は一三〇隻ほどの艦船に兵員・船員合わせて二万人以上を乗せて、リスボンを出港した。ところがこの大艦隊は出港してからまもなく、イベリア半島西岸を北上中に猛烈な嵐に襲われ、多くの艦船に被害がでたばかりか、艦隊をはぐれてしまう艦船が続出した。

やむをえずアルマダは補給や修理のために、六月半ばスペイン北西のラ・コルニャに入港して、態勢たて直しをはからなければならなかった。この嵐で弱気になった総司令官メディナ・シドニア公は、国王に計画の延期、イングランド側との和平を打診したといわれているが、フェリペ二世は断固としてイングランド侵攻計画の続行を命令した。

嵐ではぐれた艦船を集結させ、補給や修理を終えたアルマダは、入港後約一ヵ月たった七月半ば、ようやくラ・コルニャを出港した。休養や補給によってアルマダはリスボン出港の時よりやや良好な状態になってビスケー湾を北上し、英仏海峡に向かった。

イングランド側はアルマダのリスボン出港と、嵐のためにラ・コルニャに入港したことをかなり正確につかんでおり、ビスケー湾でスペイン艦隊を捕捉する作戦をたてて、一五八八年七月半ば、九〇隻近いイングランド艦隊がプリマスから出撃した。

しかし今度はイングランド艦隊が逆風と悪天候にみまわれ、ビスケー湾でスペイン艦隊を捕捉する作戦をあきらめざるを得なくなり、母港プリマスに戻ってきた。こうして両国海軍の決戦場は、七月末の英仏海峡ということになったのである。

「敵艦見ゆ！」

一五八八年七月一九日、ついにスペイン艦隊は、イングランドの南西端コンウォール州のリザード岬沖に姿を現した。この時イングランド海軍は、主力の六〇隻ほどを総司令官ハワード卿とドレイクが率いてイングランド南西のプリマス港に待機し、他の三〇隻あまりはシーモアが率いて、パルマ公の軍の動きを監視しながらドーヴァー・カレー間の英仏海峡を警戒していた。

アルマダの航路

「リザード岬沖にスペイン艦隊見ゆ」との報に接して出撃したのは、プリマス港にいた主力であり、七月二一日頃に両国艦隊は互いに相手を視野に入れる距離まで接近した。

この時、スペイン艦隊のとった陣形が有名な「三日月形の陣形」であった。

この陣形は、あまり戦闘能力のない輸送船を多く従えているスペイン艦隊が、防御力を強めるためにとったものであり、三日月の外側に強い戦闘力をもつ大型艦を配置して、イングランド側の襲撃に備えるものであった。この三日月形陣形は相手を攻撃するには不向きであったが、できるだけ艦隊の損害を少なくしてパルマ公が率いる陸軍との合流地点に導く策であった。

そのためイングランド艦隊も、この三日月形の堅陣を簡単に破ることはできず、英仏海峡を東進するスペイン艦隊の後を追うように進んでいった。イングランド側が敵の上陸を警戒していた地点が二個所あり、その沖では上陸されるのを阻止しようとするイングランド艦隊がかなり積極的な行動をとったため、小競り合いの海戦がおこった。それがポートランド・ビル沖とワイト島沖であった。

戦史研究家の中にはスペイン軍がワイト島に上陸して、これを占領していれば長期間にわたってイングランドに圧力をかけ得る有利な地歩をしめることができたはずであると論じる者もいる。

しかし、スペイン艦隊の総司令官メディナ・シドニア公は、フェリペ二世の指示を忠実に守りパルマ公の陸軍との合流を第一に考えていたので、多少ともワイト島上陸を考えたようであるが、危険を冒してまで島に接近することはなかった。そのため先行するスペイン艦隊を後からイングランド艦隊が追うという形が、英仏海峡をほぼ四八〇キロメートルにわたって、七月末の一週間ほどのあいだ続けられたのである。

「火船を放て！」

七月二七日、メディナ・シドニア公はスペイン艦隊をカレー沖五キロほどの海上で投錨《とうびょう》させた。予定通りパルマ公の陸軍と合流するために、カレーの陸上と連絡をとったが、パルマ公側の準備はメディナ・シドニア公が期待していたほどには進んでいなかった。

アルマダ艦隊を追跡してきたハワード、ドレイクの主力艦隊は、スペイン側の上陸阻止や威嚇のための砲撃で、かなり弾薬を消耗していたが、ドーヴァー沖を警戒するシーモアの艦隊と合流することができた。そしてスペイン艦隊の投錨地から西に一六〇〇メートルほど距離を置いて、イングランド海軍も投錨したのであった。

シーモアの艦隊は弾薬も豊富で、乗組員も疲労していないので士気は高かった。しかし、スペイン艦隊とパルマ公の陸軍との合流をなんとしても防ぐためには、イングランド側はここでなにか決定的な手を打つ必要があった。

一五八八年七月二八日、ハワード卿を中心にそのための作戦が練られたが、ここでイングランド側が考えたのが「火船戦術」であった。

通常、この戦術は小舟やいかだに燃えやすいものを乗せて火をつけ、敵の艦船をめがけて送り出し、火船を衝突させて炎上させる戦法であった。当時の艦船は木造で、乾いた布製の大きな帆やタールを塗りつけた多数のロープ類はいったん火がつくと消し止めることは難しかったから、「火船戦術」は成功すれば効果は大きかった。しかし、この作戦をとろうとする艦隊は敵の風上に位置していて、しかも潮の流れが敵艦の方向へ向いていなければならないのであった。

スペイン側も敵が「火船戦術」をとる用心はしていたようで、メディナ・シドニア公は主力艦船の外側に多数の小舟やボートを並べて、火船が襲ってきた場合の防備を固めていた。

しかし、この時イングランド側が採用した「火船戦術」は常識破りのものであった。小舟やいかだを使うのではなく、ドレイクら各艦隊司令官が提供した一五〇トン以上の船五隻、最小でも九〇トンの船からなる合計八隻の大型の火船を用いたのである。これに燃えやすいものを満載し、火で熱せられてくれば砲弾が発射されるようにしかけた砲も搭載した、きわめて大規模なものを用意したのであった。

七月二九日になったばかりの深夜、イングランド艦隊は強風の風上に位置しており、潮

カレー沖決戦

の流れも西からスペイン艦隊の方に向かっていた。それを見計らったイングランド艦隊は、敵艦隊に向けて八隻の火船を一斉に放ったのである。
漆黒の闇の中から突然、巨大な炎の山と化した一群の火船が急接近し、しかけられた火薬が続けざまに大爆発する轟音がスペイン艦隊を包み込んだ。
闇の中の不意打ちだっただけに、あわてふためいたスペインの艦船は錨をあげる暇もなく炎に包まれ、火を逃れるために錨索を切断して発進した艦も多かったといわれている。

決戦カレー沖

もはや三日月形の陣形を組む間もなく、大混乱に陥ったスペイン艦隊にイングランド艦隊の撃ち出す容赦のない砲弾の嵐が襲いかかった。スペイン艦隊の強力な布陣に阻まれて英仏海峡を追尾中は、射程内に入り込めなかったイングランド艦隊は、ついに艦砲の射程内に敵の全艦船をとらえたのである。

この一五八八年七月二九日の夕刻まで続いた砲撃戦によって、スペイン艦隊は壊滅的な打撃をうけた。それでも何度かスペイン艦隊は陣形を組み直し、あわよくば、イングランドのどこかの港を占領しようとした。

しかし二九日夕刻までの戦況はスペイン艦隊にとって決定的に不利であり、風向きが変わらなければ全艦船がネーデルラントの海岸に吹きつけられて座礁する危険さえあった。

翌日の午前になってようやく南西風に変わり、沈没や座礁を免れた敗残のスペイン艦隊はかろうじて北海方面へ脱出することができたが、英仏海峡を逆に戻って故国に帰ることは、もはや不可能であった。この海戦の主戦場がカレーよりやや東方のグラヴリーヌの沖であったために、この海戦を「グラヴリーヌ沖海戦」とよぶこともある。

カレー沖の海戦後の数日間は、北に敗走するスペイン艦隊をイングランド艦隊が追跡したが、スコットランドのフォース湾の沖で追撃を打ち切った。もはやアルマダとパルマ公の陸軍との合流も、ブリテン島上陸の危険も去ったと判断したからであった。


「私はあなた方と生死を共にする！」

このアルマダ戦争は実際には海上だけで戦闘が行われたが、イングランド南部は敵の上陸に備えて、陸軍による厳重な防衛態勢がとられていた。ロンドン付近に女王の身辺を警護する一軍が配置されたが、この他にテムズ河口北岸のティルベリーにはレスター伯が指揮する主力があり、敵が上陸した場合にはその進撃を阻むことになっていた。

アルマダが来襲するまでは、スペインとの和平も考えて大いに迷っていたエリザベスも、今やためらいを完全にふり払い、スペイン軍を迎え撃つイングランド国民の情熱の高まりの先頭にたつことを決意した。

ためらいや迷いは長かったが、いったん決断するとエリザベスの行動は常に素早かった。彼女自らティルベリーの地を訪れ、防衛軍の将兵を激励することにしたのである。周囲の者は女王の身の安全を案じて止めようとしたが、エリザベスは決然としてティルベリーの防衛軍を閲兵し、全将兵を前に演説した。

「私はこの戦いのただ中で、あなた方と生死を共にする覚悟であり、また神と私の王国のため、私の国民のため……塵《ちり》の中へ命も投げ捨てる覚悟である。

私は自分が女性として肉体が弱いことは知っているが、一人の国王として、またイングランド国王としての心と勇気とをもっている……ヨーロッパの君主がわが王国の領土をあえて侵すようなことがあれば、それをこの上ない侮辱と考え、それを忍ぶよりは、自らも武器をとって自分があなた方の司令官となり、審判者となり、戦場におけるあなた方の働きに報奨を与える者となりたい」

これを耳にした全軍の将兵も、伝え聞いた国民も奮い立ったことはいうまでもない。まさにエリザベスの一代の名演説といってよいであろう。

アルマダが北海を北に敗走したので、エリザベスは艦隊と陸軍の動員を速やかに解除することができた。こうして彼女は、即位以来の最大の苦境をひとまず脱することができたのであった。国内では戦勝祝賀が盛大に行われたが、その喜びに一抹の影がさしたのが、九月初めの熱病によるレスター伯の死であった。

アルマダの敗走

カレー沖海戦に敗れたスペイン艦隊は、沈没や座礁を免れた艦船でもひどい損傷を受けており、食糧や水も欠乏していた。総司令官メディナ・シドニア公は、今となっては一隻でも多くの艦船を故国へ帰港させることが、自分の義務であると考えていた。

しかしスコットランドの北をまわり、アイルランドの西を通って故国に戻る航路は、スペイン艦隊にとってまったく経験のない、きわめて困難なルートであった。

スコットランド北方で激しい嵐が襲い、艦隊としての行動は不可能になり、多くのスペイン艦船がスコットランド北方のオークニー諸島やアイルランド北岸・西岸で難破・座礁し、ここで約八〇〇〇人もの兵員・船員が命を落とした。それでもなお六〇隻近くの艦船が、総司令官メディナ・シドニア公とともにスペインに帰りついた。

すべての作戦について自ら指示を出していたフェリペ二世は、この大敗北にも敬虔な旧教徒にふさわしい諦めの心をもってよく耐えたが、マドリード北西にある巨大なエスコリアル宮殿の奥に引きこもって祈禱に専念することが多くなったといわれている。しかし彼はイングランド侵攻の意図を捨てきれず、艦隊の再建にのり出して、一五九〇年代には三度の遠征艦隊を送って、イングランド侵攻を狙ったがいずれも失敗に終わった。

メアリ・ステュアートの処刑後は、フェリペ二世は自分こそがイングランドの王位継承権を彼女から譲られたのだと考えていたようであり、これについてローマ教皇の了承もとりつけていたが、このような意図が旧教徒をも含めたイングランド国民に支持されるはずがなかった。

イングランドではメアリの処刑後には、反エリザベス陰謀もおこらなくなっていた。旧教の信仰に執着する人々の中にも、今ではエリザベスに忠誠の立場をとる者が多くなってきた。こうした点でもスペインによるアルマダ計画の繰り返しは無意味なものになっていたのであった。

5　フェリペ二世の挫折

ユグノー戦争介入の失敗

一五八四年、フランス国王アンリ三世の弟アンジュー公が死去して、ユグノー（新教徒）のナヴァル王アンリ（後のアンリ四世）が王位継承者とされた時から、その王位継承排除を狙う強硬な旧教派であるギーズ公の一派（ギーズ党）は、スペインのフェリペ二世と公然と同盟を結んだ。

一五八〇年代半ば過ぎまで、アンリ三世はギーズ公ら旧教同盟と結んで、ユグノーのナヴァル王アンリに対抗していた。アンリ三世がギーズ党の支配を排除するためにギーズ公を暗殺すると、逆にその報復にアンリ三世自身が暗殺されて（ヴァロア王朝は断絶）、ナヴァル王アンリがアンリ四世としてフランス国王に即位しそうになると、旧教同盟はスペインと結んで対立国王に枢機卿シャルルを擁立したのであった。

こうしてフェリペ二世は旧教同盟支援という形で、ユグノー戦争の最終局面に介入することになり、一五九〇年、彼の命令によってパルマ公はパリなどフランス各地を転戦することになるが、パルマ公はルーアンの戦いで負傷し陣中で没した。

　スペインと結ぶ旧教同盟に権力確立を妨げられていたアンリ四世は、旧教への改宗を決意して一五九三年、正式に改宗した。そして翌年、正統なフランス国王としてシャルトル大聖堂で聖別式を受け、宗教的対立を政治的に解決・和解させようとする者たちとユグノーの支持を受けた。

　スペインが支援する強硬な旧教同盟は、フランス国内でしだいに孤立して、フェリペ二世のユグノー戦争介入は失敗に終わった。こうした状況を収拾して、宗教的対立の解消をめざしたのが、アンリ四世が一五九八年に出した「ナント勅令」だったのである。

ネーデルラント解放

　一方、ネーデルラントにおいても新教派のユトレヒト同盟側は、暗殺された故オラニエ公の息子マウリッツとホラント州法律顧問オルデンバルネフェルトの指導の下に英仏両国とも時に協力して、次々にスペイン軍の占領下にあった都市を解放していった。一五九〇年代にはパルマ公がフランス各地を転戦して、やがて陣没したため、スペインはネーデルラントでますます不利な立場に陥った。

　フランス王アンリ四世は一五九五年、スペインに宣戦を布告し、スペイン軍が翌九六年カレーを占領すると、その脅威を感じたエリザベスはアンリ四世の求めに応じて英仏同盟を結び、救援の出兵を行った。

この同盟にネーデルラント連邦共和国（ユトレヒト同盟）も加盟し、今や英・仏・オランダ三国が共同してスペインの強硬な反宗教改革的な路線に対抗する国際関係ができあがっていったのである。

ドン・キホーテ

一六世紀後半は、なお「スペイン優位」の時代ではあったが、その強硬な旧教擁護の政策は英・仏・オランダなどに、その覇権に対抗する共同戦線を形成させてしまった。このことは勢力均衡の原理が働いて、覇権国家スペインを抑えようとする力が働いたとみることもできるであろう。

こうした情勢の中でフェリペ二世は、まったく手詰まりの状態に陥り、一五九八年、フランスとヴェルヴァン条約を結んで講和することになった。彼がこの世を去るわずか四ヵ月ほど前のことであった。

あるスペイン史の専門家は「フェリペ二世はドン・キホーテであった」と評している。「騎士道」という古き理想に執着したためドン・キホーテは数々の失敗を重ねていったが、フェリペ二世も西欧全体を旧教信仰に取り戻すという「古き理念」にとりつかれていたために、ネーデルラント反乱抑圧にも、アルマダ戦争にも、ユグノー戦争介入にも失敗していったことを表現したものと受け取ってよいかと思われる。

しかしフェリペ二世の失敗は彼の外交政策に限られたものではなかった。彼の下にあったスペインの財政は、まさに破綻していたのであった。

スペインの財政破綻

カール五世（スペイン国王としてはカルロス一世）の治世からフェリペ二世の治世初期にかけては、スペインの新大陸への進出が大きな刺激となって、セヴィリアをはじめ多くの都市の経済活動が活発になり、羊毛生産も増加してスペイン経済は活況を呈していた。

カルロス一世も、自らのハプスブルク家の勢力拡大のための国際的紛争（主としてイタリア戦争）にスペインの資金をかなり費やして、彼が王位をフェリペ二世に譲った時には、約二〇万ドゥカドゥス（ドゥカドゥスは本来スペインの高額金貨の名称。正確な計算は困難であるが、一ドゥカドゥスは現在の日本円で一〇万円以上かと思われる）の負債を残していた。

しかしフェリペ二世時代には、新大陸からの銀流入が最高潮に達したとはいえ、彼はネーデルラント反乱やポルトガル併合、アルマダ戦争、ユグノー戦争介入といった数多くの国際紛争に関わって、財政支出もまた膨大なものになっていった。

その長期的な収支をみてみると、国王財政の赤字は一五七〇年代半ば以降に急激に増大していった。それを補うためにスペイン本国や新大陸で、取引高税の新設や既存の税金の増税などを行ったが、フェリペ二世はますます多くの国際紛争に関わる深みにはまっていった。

もちろん、国際的な銀行家(ドイツのフッガー家やジェノアの銀行家など)からの借入金も大きくふくれ上がって、すでに一五七五年にスペインは国家財政の破綻を宣言し、一種の支払停止令(モラトリアム)を出した。そうした銀行家からの借金の返済についても、条件を変更して更新せざるを得ない状態になった。

銀行家はこうした状態に対して、融資により高い金利を要求したものの、なおスペインに融資を続けたのは、この国の新大陸からの大量の銀供給に期待していたとみることができる。

一五九〇年代にいたっても、こうしたスペインの国家財政の状況は改善されることはなく、ついにフェリペ二世の死後には、彼の父の五倍にあたる一〇〇万ドゥカドゥスもの負債を残すという財政破綻をひきおこすことになった。

落日のスペイン王国

彼の後継者フェリペ三世が、一七世紀初めにまずイングランドとの戦争を終結させ、ついでネーデルラント連邦共和国と（一二年間の期限付きではあるが）休戦条約を結んで、事実上その独立を認めざるを得なかったのは、主としてこのフェリペ二世がひきおこした財政破綻によるものであった。

フェリペ二世の死後、もはやスペインには大きな国際紛争に関わっていくだけの力は残っていなかった。彼の反宗教改革的な路線にそった強硬な外交政策は、後に大きなつけを残したのである。

エリザベス時代末年のイングランドも、財政的にはきわめてきびしい状況にあった。ネーデルラント出兵やアルマダ戦争に大きな出費を強いられた上に、エリザベスの死の直前までアイルランドの反乱は止むことがなかったからである。

一六世紀、互いに巨額の出費をして戦われた西欧の国際紛争は、各国の財政悪化や破綻によって、もはや続行できなくなり、一七世紀の初頭には、つかの間の平和が到来することになるのであるが、その時にはすでにエリザベスは、フェリペ二世同様に、この世を去っていたのであった。

第五章　変貌するイングランドの宗教と文化

「いまは学芸栄えるとき、平和の女王がこの世を治めておられるゆえに」
――F・イェイツ「星の処女神エリザベス女王」から

当時のグローブ座

1　揺れる英国国教会

大主教グリンダル

エリザベスの治世前半、ほぼ一五七〇年代半ばまでに、新教信仰の浸透、そのための改革推進をめざす者たちは国教会の枢要な地位についていた。

その新教改革への情熱を警戒して、即位当初のエリザベスが主教陣への登用をためらった「メアリ時代亡命者」も、この頃はまだ主教の地位に残っていた。そうした国教会内の改革推進派の代表的人物が、ロンドン主教グリンダルであった。

一五五九年夏、ロンドン主教に指名された彼は、聖職服の合法性などに疑問を感じ、亡命時代の知己である大陸の新教改革者に書簡で意見を求めたりしたが、こうした些細な問題で新女王の国教会再建に協力しないのは良くないと自ら判断して、その地位についたのであった。

このようにピューリタンと共通するような考え方をもち、彼らに同情的であったために、ロンドン主教としての彼のピューリタン取り締りには、カンタベリ大主教パーカーは不満だったようである。そのため空席になったヨーク大主教の後任にパーカーはグリンダルを推し、彼は一五七〇年から五年間この地位を務めることになった。

もともとグリンダルはイングランド最北部のカンバーランドの出身であり、その周辺に根強く残存していた旧教徒を抑え、新教信仰の浸透を図るヨーク大主教の職は、彼には適任であった。しかし一五七五年、パーカーが死去した後、盟友セシルの強い推薦によって、グリンダルがカンタベリ大主教の地位についたことが、彼の不幸の出発点になってしまった。彼はパーカー大主教時代にすでに問題となっていた聖書釈義集会（プロフェサイングズ）の継続の可否という困難な問題をひき継ぐことになったのである。

「聖書釈義集会」は「説教訓練集会」ともよばれ、聖書の研究とそれに基づく説教の訓練を目的として、特に聖職就任候補者や若い聖職者の訓練を主眼として行われていたものであり、主教の下で開催される場合は国教会当局の監督も行き届いていたが、地方都市のジェントリなどが中心となって行われる場合には、そうした監督もやや不十分であった。

すでに、一五七〇年代に入ってイングランド東部の都市ノリッジで開かれていた聖書釈義集会では、国教会に反抗的なピューリタンが積極的に活動したり、ジェントリや商工業者など俗人にも発言が許されるなど、国教会の監督から逸脱した集会が開かれていたため、エリザベスがそうした集会の禁止を大主教パーカーに命じていたのであった。

グリンダルの抗命

就任早々グリンダルは、女王からカンタベリ大主教管区(イングランド南部)における聖書釈義集会の全面禁止と各州の説教者を二〜三人に削減する指示を、管区内の各主教に伝達せよという命令を受けた。これに対して彼は、女王が思ってもみなかったほど鋭い言葉で、この命令を拒否する書簡を七六年末、女王に送ったのであった。

その書簡で彼は、「聖書釈義集会ほど聖職者の間に知識を広め、会衆の教導に有効なものはないと信じておりますので、無礼とは存じますが……聖書釈義集会の禁止には同意できませんし、集会の全面禁止を命じる大主教教書も出せないと申し上げざるを得ません」と主張し、説教者数の削減にも同意しないことを述べた上で「私が天上の君主である神に逆らうよりは、むしろ地上の君主である陛下にあえて逆らうことをお許し下さい」とまで言いきった。

君主といえども神の意志に逆らうことは許されないし、宗教問題については国教会の責任者の意見を尊重してほしいと主張することは、絶対王政期の君主に対しては無謀な反抗ともいえる行動であった。グリンダルの考えでは、新教改革の推進、新教信仰の定着こそが大主教の任務であって、これを妨げる者は君主といえどもあえて批判すべきなのであった。

一方、エリザベスにとっては国教会は国民の国家や君主への服従をうながすための機構であり、そこでは君主への服従によって秩序を維持することが最重要課題であり、これを少しでも乱すようなものは、新教信仰の浸透には有益であっても禁止されるべきなのであった。

グリンダルの書簡に激怒したエリザベスは、自らの指示を大主教の頭越しに各主教に伝達し、翌一五七七年六月、グリンダルに六ヵ月間の職務停止と謹慎・蟄居《ちつきょ》を命じた。彼女は大主教の職位剝奪を命じようとしたが、側近がそうした前例はないと諫《いさ》め、こうした処分になったといわれている。

エリザベスが国王の大権事項として臣下の発言を許さぬ強い意志を示した分野として、この宗教問題と王位継承問題をあげることができるであろう。こうした問題では国王が絶対的な決定権を行使しており、これが絶対王政の性格の一端であったと考えてよいかと思われる。

セシルはグリンダルに対して、女王に謝罪して和解するようにすすめたが、彼の信念は固く、なかなかそうした助言には従わなかったので、グリンダルに対する処分は半年では解除されず、一五八三年の彼の死にいたるまで続いた。

そのため大主教の職務の多くはロンドン主教エイルマーが代行し、国教会首脳の中では、やがてウースター主教に任命されたウィットギフトが台頭してきた。ウィットギフトは八三年のグリンダルの死後、彼の後任としてカンタベリ大主教となるのである。

エイルマー、ウィットギフトの二人は、グリンダルにくらべてはるかに強力にピューリタンを抑圧・統制しようとする意図をもっており、そうした点が国教会の秩序維持を重視するエリザベスに評価されていたものと思われる。

一五八〇年代に入ってグリンダルは、目が不自由になり健康も損なったので、自ら辞職を申し出ようとした。エリザベスもこれを認めて彼に年金を与えようと協議していた時、八三年六月、彼は死去したのであった。

強まるピューリタンへの統制

グリンダルの女王への反抗とその挫折は、国教会の秩序や権威への服従よりも、新教信仰の浸透や真の新教教会への改革推進を重視する者の悲劇に終わった。後任のカンタベリ大主教ウィットギフトは、国教会の秩序や権威への服従をより確実にするために統制を強化する考えをもっていた。

彼は就任後ただちに国教会への服従を誓約する詳細な諸条項を出して、その中の三点については全聖職者に、署名して服従を誓うことを要求した。その三点とは、国王首位権、共通祈禱書、三十九ヵ条への服従であった。さらに高等宗務官裁判所を拡充して聖職者の統制強化をはかった。

こうした統制強化を不満として署名を拒み、聖職を去った者も三〇〇〜四〇〇人に達したといわれている。最も不満とされたのは共通祈禱書への服従強制であった。ピューリタンは国教会の礼拝様式を強制するこの共通祈禱書に強い不満をもっていた。

統制強化はあったが、グリンダルを停職にまで追い込んだ聖書釈義集会も、ヨーク大主教管区（イングランド北部）では禁止されてはおらず、南部でも「協議会」「研修会」の名の下に継続されている地域があり、状況はピューリタンに絶望的だったわけではない。政界の要人の中にもセシルのように、署名を拒んで聖職を去ったピューリタンを私牧師（プライヴェト・チャプレン）として邸内に雇いいれる者もあった。

ウィットギフトら国教会首脳はピューリタンだけを取り締ったわけではない。ローマ・カトリック教会の立場を信奉する旧教徒に対しては、さらにきびしい取り締りが行われていた。

反旧教徒政策

一五七八年には捕らえられた旧教徒が処刑され、翌七九年にはアイルランドで反エリザベス・反イングランドのデズモンドの反乱が、ローマ教皇やスペインの支援をうけておこったため、旧教徒への取り締りはさらに強化された。

しかしイングランドの旧教徒は、信仰は秘かに守りつつも、エリザベスへの忠誠の立場をとる者が多かったため、イエズス会士がローマ教皇やスペインに加担する反エリザベス陰謀をよびかけても応じない者も多かった。

こうした状況の中で一五八一年、イングランド下院はきわめてきびしい反旧教徒法案を審議し始めたが、エリザベスはこれをやや緩和して法令として裁可した。旧教徒など国教忌避者への罰金が一気に月二〇ポンドという法外な高額にまで引き上げられたのであった。

一五七〇年代から八〇年代にかけて、スペインと関わりをもつ反エリザベス陰謀が繰り返しおこると、イングランド旧教徒の中には、むしろ女王には忠誠を誓う者が増えてきた。

グリンダルの失脚とエイルマーやウィットギフトら国教会内の統制強化派の台頭、一五八三年のグリンダルの死とウィットギフトのカンタベリ大主教就任は、やはり国教会の性格をかなり変えたようである。

新教信仰の浸透をはかり、国教会を真の新教教会に改革していこうとするイングランド新教徒の意欲はやや衰え、国教会の秩序と当局への服従を重視する方向が明確になってきた。加えてメアリ時代亡命者の主教もこの時期に次々に死去して、ヨーロッパ大陸の新教徒との一体感や連携をあまりもたない新しい世代が、主教陣を構成するようになった。

こうして国教会はこの国の独自の伝統を強調して、秩序を重視する方向へ変貌しつつあったのである。

議会から教会改革案

エリザベスは教会体制など宗教問題は、議会の審議すべき事項ではなく国王が大権をもって決定すべきものと考えていた。しかし、ピューリタン議員は再三にわたり教会改革の提案を下院に提出した。

本格的な教会改革の提案は一五八〇年代半ばに議会に提出されたが、いずれも共通祈禱書に代わるべき「礼拝規定書」を付した教会改革提案であった。ピューリタンが国教会のあり方の中で最も問題ありと見ていた共通祈禱書に基づく礼拝様式の改革を狙ったものであった。こうした提案は国教会の主教制を「長老教会制」という教会体制に変革する内容を含んでいた。

一五七〇年代から一五八〇年代にかけて、ピューリタンの中には、カルヴァンがジュネーヴ教会で採用していた長老教会制を、イングランドでも国教会体制として採用すべきであるとする長老派が出現していた。すでに述べたカートライトの主張もピューリタンの多くに影響を与えていたし、ピューリタンの下院議員たちの提案もそうしたグループの存在を背景としていたのであった。

しかし議会に提出されるあらゆる教会改革の提案は、エリザベスの強い意志によって阻止されてしまうという状況の中で、長老教会制への変革をめざすグループ、すなわち「長老派」はただちに国教会体制を変革することが当面は望み薄なので、一五八二年頃から、一種の地下組織としての長老教会をつくり上げる動きを自分たちの間で始めていた。

長老派のクラシス運動

イングランド南部での聖書釈義集会が禁止された後も、協議会という形でそうした活動が残存していたことはすでに述べたが、ノリッジではこうした協議会が平等な立場で参加する聖職者によって運営され、さらに東部諸州の各地の同様の協議会と連絡をとって、相互に教会規律や礼拝様式などの問題を協議する動きが生まれてきた。このように自然発生的に生まれてきたピューリタンの協議機関は、彼らの残した文献の中で「クラシス（集会）」とよばれている。

すべての聖職者が平等な立場で協議する集会の存在と、その上のさらに上級の集会がオクスフォード、ケンブリッジやロンドンで開催されていたことは、この動きが長老教会主義に基づくものであるとされ、「長老派クラシス運動」とよばれる理由になっている。

聖書釈義集会を禁止され、新カンタベリ大主教ウィットギフトにより強い抑圧を受けたピューリタンの一部が、半ば地下運動として展開していったのが、この長老派クラシス運動だったのである。

しかしこの運動に加わった者たちも、主教制の国教会を棄てて別の教会樹立に走ったというのではなく、国教会内にとどまりながら、将来は長老教会制の国教会を建設していく第一歩として、自分たちが先駆けて国教会内に自分たちだけの長老教会設立をめざしていく運動を進めていたのであった。

彼らがそこまで努力して〈教会内の教会〉ともいうべきものを設立しようとしたのは、主教制の国教会の教会規律や礼拝様式に強い不満をもっていたからであった。彼らの立場からのこうした点での対案としては、ウォルター・トラヴァースが一五八〇年代半ばに書き上げた『規律の書』があったのである。

ピューリタン急進派、国教会を批判

長老派の運動は、国民全体が一つの体制に統合される国家教会の存在は肯定して、ただ

その体制をこれまでの主教制から長老教会制に変革することをめざすものであった。

しかし、「真の信仰者」のみによる教会形成をめざす「分離派」は、そうした国家教会の存在を否定し、まったく誤った道に陥っていると彼らが考える英国国教会と決別して、自分たちの正しい教会の設立をめざしていた。

一五八〇年代に『何者にも期待せずに行われるべき宗教改革』という本を書いたロバート・ブラウンやその友人ロバート・ハリソンは、東部の都市ノリッジで「真の信仰者」のみによる分離派教会を密かに結成していた。彼らは当局の弾圧を受けた後、ネーデルラントに亡命して、そこに分離派教会をつくった。分離派は当局から、より危険な存在と見られていたので、その中から処刑される者たちも出てきた。

一方、長老派や分離派などの教会改革運動のいずれもが、当局の弾圧によって失敗してしまった時、主教制の国教会当局を戯画化して、一種の風刺文学のような形で批判し、からかうことを目的とした地下出版物が、アルマダ来襲の一五八八年頃、イングランドにあらわれてきた。これがいわゆる「マープリレイト文書」である。

「マープリレイト文書」の功罪

「マーティン・マープリレイト」という偽名の人物が、国教会当局を痛烈に批判する数篇の文書を出したのであるが、「マー（傷つけるの意）」と「プリレイト（高位聖職者の意）」を合成したこの語は「高位聖職者をやっつけろ」とでも解すべきであろう。当初は「書簡」「要約」といった表題をつけて出版されたが、主教たちの私生活のゴシップを描き、その不道徳をなじるという、現代の大衆紙のような方法で批判を展開していた。

これに対してウィンチェスタ主教クーパーが反論すると、マープリレイト側はすぐに『桶屋になにかご用はありませんか』（クーパーは桶屋の意味をもつ単語）を出して、一段と戯画的・風刺的な筆致で国教会当局をからかう地下出版を続けた。この地下出版はついに印刷所を突き止められて、弾圧されてしまった。

これらのマープリレイト文書は、初期の風刺文学としての価値はもっているが、イングランド国内のピューリタンの評判を大いに落とすものであった。真面目な新教徒であるという点でピューリタンに同情していた人々も、この度外れた中傷を含む風刺には眉をひそめたようである。

一五九三年、国教会側からは後に大主教となるバンクロフトが『危険な状態と行動』を出版して、ピューリタンを激しく攻撃した。この年に制定された服従法では、ピューリタンは「治安を乱す不忠な仲間」として、きびしく取り締ることが規定されたのである。

国教会からの反論

バンクロフトはピューリタンの活動の危険性を、国教会当局の立場から幅広く集めて彼の著作に盛り込み、当局のきびしい取り締りが必要であることを説いたのであった。一方、国教会の基礎となる立場を再点検し、ピューリタンの批判に対して独自の国教会擁護の論理を体系化したのがリチャード・フッカーの『教会政治理法論』であった。

一五六七年生まれの著者フッカーは、当初、母校のオクスフォード大学で古典語の教師をした後、聖職につき法学院関係者のテンプル教会の主任牧師となった。

彼は国教会当局の権威によってではなく、国教会を基礎づける理論体系の構築によって、これを擁護する体系的な大著の執筆を決意し、一五九三年からその最初の部分を刊行し始めた。これが八巻におよぶ彼の『教会政治理法論』であるが、生前には五巻までが刊行された。

フッカーは、テンプル教会の説教者であった前記のトラヴァースとは長年の論敵であり、そのためピューリタンの批判から国教会を弁護することが、著作の基調となっている。彼は、ピューリタンが聖書に重点をおき過ぎて理性の働きや国家を低くみていると考えて、神の法と理性の法は共存できるものであり、国教会ではまさに二つが共存していると説いた。

彼によれば、国家は原罪をもつ人間が作ったものであり、神の法に基づく教会にこそ人間は従属すべきものとピューリタンは考えているが、理性を重んじるフッカーの立場からは、理性の法に従う国家は必ずしも教会に従属すべきものではないことになる。彼は、国家はその国独自の伝統に従って教会体制を決めることができると主張して、各国の教会の歴史的な伝統を重視したのである。

フッカーは、神の法と理性の法との関係を中世のスコラ学の伝統を援用して分析し、かなり中世的な国家観を基礎として論理を展開していった。それによって使徒パウロ以来の伝統に基づくものとしてテューダー朝の国教会を弁護することはできたが、一七世紀に新たな自然法に基づく社会契約説をとる近世の国家観が登場してきた時、国家論としては彼の論理はあまり顧みられなくなった。

説教に重点をおき過ぎるピューリタンの立場を批判するフッカーは、むしろ教会の神聖さや美化を重視し、聖礼典に重点をおく信仰のあり方を説いているが、これは一七世紀に登場してくる聖礼典重視の立場（普通は大主教ロードを中心とした「アルミニウス主義」とされることが多い）の先駆をなしている点もみられるのである。

2 新しい文化と教育のひろがり

エリザベスの宮廷と文化人

宮廷は本来は君主の邸宅であるが、この時代には君主の権力強化にともなって政治の中枢となっており、イングランドの場合には事実上の政府といってもよい枢密院がそこで活動していたことは、第二章で少しふれた。

秘書長官や大法官も宮廷に出仕して、それぞれの重要な任務を担当していた。しかし宮廷は外国の使臣を迎え、有力な貴族、ジェントリたちが集う場所であり、イタリアなどのルネサンス文化もここを通じてイングランドに流入していた。豪華な饗宴や舞踏会・仮面劇も行われて、文化の中心ともなっていた。

本来、中世後期から発展してきたルネサンス文化は、フィレンツェなどイタリア諸都市やフランドル、ネーデルラントに花開いた都市文化であった。一六世紀にはイタリア戦争やネーデルラント反乱などによって、都市の中には戦乱のため衰退したところも多く、代わってローマ教皇や絶対主義君主の宮廷が新しいルネサンス文化の中心となっていた。

当時の君主の多くは、教養や芸術への見識をかなりもっていたが、エリザベスもロジャー・アスカムなど一流の人文主義者から古典語やイタリア語、フランス語の個人教授を受けて、外国語を自由に操ることができた。さらに神学、算術、物理学、天文学や論理学といった学問に加えて、音楽や乗馬も巧みであったから、エリザベスはまさに当代一流の教養人でもあった。

そうしたエリザベスを頂点とする宮廷に出仕する宮廷人も、幅広い教養や知性をもつ人物でなければならなかった。宮廷人で大学や法学院で学んだ者たちの数も増加した。しかし学問だけでなくマナーも良く、音楽やスポーツにも優れていることが望ましかった。宮廷人のあり方については、イタリア人カスティリオーネの『廷臣論』が一五六〇年代に英訳されており、イングランドでも優雅で文武両道に秀でた完成されたルネサンス的教養人が理想とされていた。

こうした理想に近い人物を一人あげるとすれば、文人として『アーケディア』の作者、政治家・軍人としても活躍し、ネーデルラントでスペイン軍との戦闘で負傷し、その地で死去したサー・フィリップ・シドニー（一五五四～八六年）が浮かんでくる。彼やレスター伯の知遇を得て宮廷の雰囲気も知ることができたエドマンド・スペンサー（一五五二～九九年）は、一五九〇年『妖精女王』を出してエリザベスを称《たた》えたのであった。

シドニー以外の宮廷人の散文作家としては、『世界の歴史』を後に書いたサー・ウォルター・ローリ（一五五二～一六一八年）、エリザベスの治世末期に『随筆集』を出して名声を得たフランシス・ベイコン（一五六一～一六二六年）があげられるであろう。

音楽・絵画については後でふれるが、この面でも宮廷は文化の中心であった。エリザベス時代には、ヘンリ八世時代に来英したドイツの画家ハンス・ホルバインや、後のステュアート朝時代に来英したフランドルの画家ファン・ダイクのような著名な外国人画家はいない。わずかにエリザベスの肖像もいくつか描いたネーデルラント出身のゲラルツ父子がいる程度である。

これはエリザベスが前述の二人の国王に比べて倹約家であったからであろうが、同時代のスペインのフェリペ二世がギリシア人のエル・グレコ（本名はテオトコプロス）やイタリア、フランドルの芸術家を、エスコリアル宮殿建設のために呼び寄せたのに比べると、なお小国であったイングランドの力不足をも示しているようである。この時代のイングランドでは、エスコリアル宮殿のような豪華な宮殿建設はみられない。

ロンドンに高まる演劇熱

一六世紀の西欧ではアジア・新大陸への進出などの刺激によって、商工業や都市が規模を拡大し活況を呈していたことは事実である。ロンドンも郊外を含めた人口が、一五二〇年代に六万人ほどになり、八二年には一〇万を超え、一七世紀には二〇万に達するという急激な発展をとげた。

しかしエリザベス時代には人口が一万を超えた都市は、ロンドン以外にはノリッジ、ブリストルを数えるのみであって、ロンドンへの一極集中が顕著である。こうした人口集中がロンドンの演劇熱を高める一因になった。

イングランドにはもともと、各地の都市で年中行事の中で聖書や奇蹟を題材にした宗教劇を上演する伝統があり、テューダー朝時代には大学や法学院、それに宮廷も演劇の上演を支援するようになっていた。この時代にはギリシア・ローマなどの古典文学の英訳本も数多く出版され、古典への関心もたかまっており、イタリアなど大陸のルネサンス文化の影響もあって、新しく世俗的な題材による戯曲が多く書かれるようになってきた。

当初、演劇は貴族の館の中の個人的な建物や宿屋の中庭などで行われていたが、一五七〇年代には有力貴族の下に、演劇を上演する一座が組織され（その中で有名なものは、レスター伯の一座）、やがて演劇の上演を目的とした劇場（当初は闘鶏など他の興行にも用いられた）が建設されることになった。一五七六〜七七年にかけて、レスター伯一座のジェイムズ・バービッジがショアディッチにロンドン最初の劇場を建設した。

一五七〇年代後半からこの世紀の終わりにかけて、ロンドンでは多くの劇場が、主として市域外に建設された。市当局が劇場・居酒屋・売春宿などのある地域でしばしば騒擾《そうじょう》がおこったことを恐れて、シティ域内での劇場建設を禁止したためにそうなったのである。市域内にこの時期にあったのは、ブラックフライアーズ座の劇場のみであった。

有名なグローブ座はテムズ南岸のサザークに一五九九年に建てられ、ここでシェイクスピアなどが活躍した。この劇場は一七世紀初めに焼失してしまったが、近年、復元建設が行われて人気を集めている。

こうした背景があって、エリザベス時代の二大劇作家のクリストファ・マーロウ（一五六四〜九三年）、ウィリアム・シェイクスピア（一五六四〜一六一六年）が登場してくるのである。

シェイクスピアの登場

劇作家としての登場はマーロウが先であり、一五八七年に「タンバレン大王」という中央アジアの英雄ティムールを題材にした彼の戯曲が上演された。この頃、シェイクスピアもロンドンに出て劇場に関係をもつようになっていたが、彼の戯曲が上演されたのは一五九二年の「ヘンリ六世」が最初であるといわれている。

同年生まれのこの二人の中で、マーロウは華々しく登場しながら、三〇歳にもならぬ若さて、やや謎めいた死をとげてしまったが、シェイクスピアは約二〇年間劇作を続け（当初は俳優も兼ねていたといわれている）、多くの名作を残すことになるのである。

スペンサーやマーロウが大学で学んだのに対して、シェイクスピアは大学に籍をおいたことはなく、まったく劇場生活で開花した才能であった。彼の戯曲には二つの対立する考え方や価値観の相剋《そうこく》がテーマとなっているものが多いが、それは必ずしも彼だけが直面していた問題ではなく、中世から近世への変革期に共通する問題であったと思われる。

シェイクスピアの饒舌《じょうぜつ》とも思える多彩な表現は、大学に学んだ教養人のものとは異なる庶民の活力を感じさせるものである。実際に、当時の劇場には数階建ての桟敷席から見下ろす貴族・ジェントリばかりでなく、平土間《ひらどま》には市民や職人などの庶民もつめかけていた。

この時期にロンドンに多くの劇場が建設され、庶民も含めた多くの観客が集まったのは、やはり急速に拡大するロンドンの大きな活力が背景となっていたように思われる。

増える大学生

ヘンリ八世時代のローマ教会との断絶、英国国教会の樹立は、一時、イングランドの大学や人文主義者に動揺を与えていたが、エリザベスによる国教確定が定着していくにつれて、教育や学問研究は安定をとり戻し、新たな発展がみられるようになった。

この時期には、オクスフォード、ケンブリッジ両大学はセシルやレスター伯のような有力政治家が総長(実際には名誉総長)に就任することが多かった。一五八〇年代には両大学とも大学出版局を創設しているが、新設のカレッジはオクスフォードではジーザス校のみであるが、ケンブリッジではエマニュエル、シドニー・サセックスの二校があり、特に前者はピューリタン的傾向をもつカレッジとして有名であった。

エリザベス時代末期にはオクスフォードは、サー・トマス・ボドリの蔵書や基金の寄付をうけて、ボドリ図書館を創設し、現在にいたるまでイングランド有数の図書館としての地位を保っている。

この時期には両大学とも年間三〇〇~四〇〇〇人の学生を入学させているが、卒業する学生は、その三分の一程度の一三〇〇~一五〇〇人程度であって、卒業と学士号取得を目的とせずに大学に入学する者が多かったことを示している。他の高等教育機関として、独自の特色をもつグレシャム・カレッジについてはすでに第二章で述べたが、今一つ法律家教育機関として一四世紀以来設立されてきた法学院が、ロンドン近郊の四法学院に再編成されたことをつけ加えておきたい。

ベストセラーの出現

この時代の出版として注目すべきものは、まず一五六三年に出版されたジョン・フォックスの『殉教者列伝』である。彼はメアリ時代亡命者の一人であり、新教徒迫害の事実をたんに物語るのではなく、終末論的な解釈で意味づけて叙述したところに大きな特色がある。この書物は木版画の挿絵によって人々に強い印象を与え、ヘンリ八世時代すでに完成していた公認の英訳『大聖書』と共に、多くの教会に備え付けられて国民に強い反旧教感情を浸透させることになった。

今一つエリザベス時代のベストセラーとしては、一五八九年にハックルートが出版した『イングランド国民の主要な航海』(いわゆる『ハックルート航海記』)をあげることができる。アルマダ戦争の翌年に出版されたこの書物は、国民の間に強い海外進出熱をかきたてたものであり、フォックスの書物と同様に次の世紀にも多くの版を重ねたのであった。

この時代の代表的な書物からみれば、エリザベス時代は新教の立場にたつナショナリズムと海外進出への意欲の出発点となった時期であると考えてよいであろう。

「リュートを弾くエリザベス」

エリザベス時代には、ヘンリ八世時代や後のステュアート朝時代のような著名な外国人宮廷画家は多くはいなかった。むしろこの時代を代表するのは、イングランド最初のミニアチュール（細密）画家といわれているニコラス・ヒリアードであろう。

彼は女王をはじめベイコンやローリなど多くの肖像画をてがけたが、彼はまた金細工師、彫刻家でもあり、エリザベス女王の二番目の国璽《こくじ》（国王の印章）も制作した。彼の繊細な画風は当時の上流階級にも愛好されていたようである。

この時代には、壮大な記念碑的な王宮の建設は行われていない。建築の面で目立つのは、地方の貴族・ジェントリの邸館の建設であり、それにともなって造営される庭園にも、イングランド独自の個性があらわれていた。

音楽の面では、ドイツのような新教独自の教会音楽があらわれてくることはなかった。トマス・タリスやウィリアム・バードはともに旧教の伝統を継承する教会音楽家であり、特にバードは旧教徒であったため、さまざまな差別を受けたがエリザベスはそれを知りながら彼に保護を与えていた。

エリザベス自身も音楽を愛好していて、いくつかの楽器をかなり上手に弾いたといわれている。彼女が弾くことができた楽器の中には、脚のついていないチェンバロであるヴァージナルやギターに似たリュートがあったが、前記のヒリアードが描いた「リュートを弾くエリザベス」という絵が残っている。

当時の宮廷人の娯楽として狩猟、ダンス、チェス、トランプや衣服や装身具の蒐集などがあり、エリザベス自身もこれらにはいずれも強い関心をもっていた。一方、民衆の娯楽としては観劇、闘鶏、競馬や熊いじめ（熊に犬をけしかけていじめて見物するもの）などがあった。

悪しき娯楽を排斥し、日曜日の遊びを嫌うピューリタンの勢力はこの時代にはそれほど強くはなかったので、中世から続いている「楽しいイングランド（メリ・イングランド）」の姿は、まだそれほど大きく変わってはいなかったのである。

ヒリアードの「リュートを弾くエリザベス」

第六章　エリザベス時代の経済と社会

「あなた方の愛情を得て統治してきたということこそ、私の王冠の栄光《グローリー》である」
——エリザベスの「黄金の演説」から

乗馬姿のエリザベス

1　経済的な苦境の打開をめざして

停滞する毛織物輸出

ヘンリ八世時代の悪鋳で品位の落ちていたポンド貨幣は、エリザベス時代に改鋳されて高品位に戻った。しかし貨幣悪鋳こそ物価騰貴の原因だと主張した者たちの意に反して、一五六二年のエリザベスによる貨幣改鋳後もイングランドの物価は上昇し続けた。そこで彼らもようやく新大陸からの銀の流入が、物価騰貴の今ひとつの重要な要因であると悟ることになった。

しかしイングランドでは、物価一般の上昇に比べて穀物価格がより大きく上昇したことは確実である。新大陸からの銀流入が西欧経済の共通の背景になっていたとはいえ、各国の固有の事情によって、物価上昇はかなり国ごとに異なった様相をみせていたのであった。貨幣改鋳を行わずに放置した場合、イングランドではもっと激しい物価上昇が続いたと考えられるので、貨幣改鋳はそれなりには効果をあげていたものと思われる。

前に述べたようにポンド安によっておこった毛織物輸出ブームはついに去ってしまい、

その輸出の維持・回復には大きな努力が必要になってきた。アジア方面へ進出の試み、地中海貿易への参入、オスマン帝国との接触などはその努力のあらわれだったのである。

さらにスペインとの対立が表面化してきた一五六〇年代から、毛織物輸出の大動脈であった対ネーデルラント貿易がスペインによってしばしば停止され、そのたびにアントワープ経由の輸出は止まって、イングランド毛織物業は大きな打撃をうけた。

さらにネーデルラント反乱の激化、反乱側の海上封鎖によって、この地を経由する毛織物輸出は大きく減少した。この輸出はロンドンがほぼ独占的に扱うようになっており、もっぱらアントワープ経由で大陸に売りさばいていた。

一五八〇年代に、このアントワープがスペイン軍に包囲・攻撃されて陥落するという状況の中で、イングランドは大陸の輸出拠点を、すでに六〇年代末からドイツのエムデン、ハンブルク、シュターデに次々に移していた。しかし、毛織物が冒険商人組合（マーチャント・アドヴェンチャラーズ）によって主としてネーデルラント、ドイツ方面に輸出されるという貿易構造に大きな変化はなかった。

毛織物の輸出額は一時大きく低下したものの、やがて回復に転じて、輸出ブームの時期をやや下まわる程度の量を、一六世紀末まで維持していた。この時期に従来の厚地毛織物に加えて、「新毛織物」とよばれる薄地の毛織物を開発して、輸出の維持・増進をはかっていたことは第二章で述べた通りである。

新市場の開拓

新市場開拓に大きな期待がよせられていたアジア進出は、なかなか思うように進まず、ようやく緒についたロシアとの貿易をペルシア経由で陸路でアジアまで延ばそうとする探検が一五八〇年代から行われ、実際にイングランド人は陸路インド、ビルマ、マレー半島まで到達したが、このルートはペルシアとオスマン帝国の間の戦争が多く、商業路とすることはできなかった。

新しい貿易活動としてむしろ有望だったのは、地中海方面とオスマン帝国との貿易であった。その貿易の発展は地中海の貿易都市ヴェネツィアとジェノアをも脅かすようになった。一五七九年、オスマン帝国から貿易・商業上の特権（カピチュレイション）がイングランドに与えられ、常駐の外交代表もおかれた。

当時、イングランドの常駐外交代表はフランスとネーデルラントにしかおかれていなかったので、前に述べたようにオスマン帝国とイングランドの接近をスペインが憂慮するほどであった。これで多少の毛織物輸出ができたが、オスマン帝国側は武器の原料となる鉛・錫《すず》の輸入をイングランドに望んでいたのであった。

またハンザ同盟の特権と争ってバルト海沿岸との貿易拡大も試みられ、多少の毛織物輸出の拡大もみられたようであるが、イングランドにとっては造船に不可欠な木材、タールや帆布材料の輸入も重要であった。

こうした地中海・バルト海進出の進展によって、毛織物輸出をほぼロンドンに独占されて衰退ぎみであった地方の港、ハル、ニューカスル、ブリストル、エクセターやサウサンプトンに再び活気が戻ってきた。

復原された東インド会社の商船

こうした貿易が女王から特許状を与えられてカンパニ制をとった場合、その多くは「制規会社（レギュレイテッド・カンパニ）」で、加入料を支払った商人の個人出資を中心とする組織であった。

この方式は、すでに一五世紀から前記の冒険商人組合がとっていた。しかし北東航路探検、ロシアとの交易で生まれたモスクワ会社は、一五五五年、「合本会社（ジョイント・ストック・カンパニ）」として組織され、八一年に設立されたレヴァント会社も当初この方式で組織された（二年後、制規会社に変更）。

商人でない者でも合本会社に出資することは可能で、そうした資本を結合させて企業活動を展開する運営方式は、一六世紀後半にはまだ一種の実験段階であったが、一六〇〇年に設立された有名な東インド会社で本格的に採用されることになるのである。

新しい貿易会社の登場

イングランドの海外進出はスペイン、ポルトガルとの摩擦を恐れて、新大陸ならば北米へ、アジアへはアフリカ南端まわり以外の航路を探すといった方法がとられてきたが、一五八八年設立のギニア会社は、ポルトガルの商圏に割りこむ西アフリカ進出を企てた。一五九一〜九四年、J・ランカスターとG・レイモンドは初めてインド洋を航海して、この地域の事情を調査した。そしてランカスターは東インド会社設立後、初の東インドへの船隊を指揮するのである。

こうした貿易会社の登場は、イングランドの経済発展を示すというよりはむしろ、一六世紀後半の経済停滞を打開するための努力を示しているようである。また世界各地にあまり外交代表を常駐させていないイングランドとしては、領事や税関としても機能する駐在員をおき、上納金や貸付金で財政にも貢献し、その商船隊は非常時には海軍としても動員できるという点で、こうした貿易会社を優遇するだけの価値もあったのである。

農業生産の増大

テューダー朝時代には、人口の激減をひきおこすような(すなわち餓死者も出るような)大凶作は、エリザベス即位直前の一五五五〜五七年にあったのみで、この時は人口が一五万以上減少した。

しかしエリザベス即位時に、二八〇万〜三二〇万だったイングランドの人口は、治世末には三七五万〜四二〇万に増加して、この間の増加は三〇〜三五パーセントという高い率であった。この人口増加を可能にしたのは、イングランド国内の農業生産の堅実な増加と新産業の発展であった。

もちろん、その後も時折は凶作は襲ってきたし、特に一五九〇年代半ばすぎには、地域によっては食糧輸入に依存せねばならぬほどの凶作もあった。しかしこうした凶作時を除けば、これだけの急速な人口増加がありながら、イングランド国内で食糧の自給が可能だったのである。穀物生産がのびた背景には毛織物輸出ブームが去って、耕地を牧場に転用する囲いこみが激減し、その上、この時期には共有地や荒蕪地《こうぶち》の開発による耕地の増加もあったからである。

さらに牧羊を主とする牧畜と穀物生産を両立させるために、耕地と牧草地をすばやく相互に転換し得る〈変動農業〉がとられたことも貢献している。それでも人口増大の後を追って農業生産が増加していったので、イングランド国内の穀物価格はかなり高騰した。逆にそれが大規模な穀物生産を有利な事業とすることになり、そのための囲いこみは農民の同意や当局の了解を得て行われ、大農園での集約的農業はエリザベス治世下でかなり進展していった。

しかし穀物増産のために酪農や牧畜が犠牲になることはなく、凶作でない時にはイングランドの東部諸州から食糧輸出さえ行われていた。

この一六世紀後半にはニンジンやアブラナなどの野菜やビールの原料ホップや藍色の染料となる大青《たいせい》、クローヴァーやカブなどの飼料も栽培され、果樹栽培、施肥などの農業技術も改良されていった。その他に地域の特産物の原料を供給する商業的農業も発展していった。穀物でも寒冷な気候に強いものなど栽培品種の多様化によって、天候不順でも凶作を回避する努力も行われていた。

こうした農業技術や経営方式の革新について、通常は一八〜一九世紀に展開されたとされる食糧増産のための「農業革命」はすでにこの時期に始まっていると主張する研究者もいるほどであるが、それはやや言い過ぎであろう。しかし、後の「農業革命」の先駆となるような農業の革新がこの時期にイングランドで行われていたことはかなり確かである。

新しい産業の発達

イングランドは一六世紀初めまで工業においては後進国であった。そのために、国内産業を育成して輸入を減少させ、できれば輸出振興をはかる、いわゆる重商主義政策の下で新産業発展は国策にもなっていた。銃・火薬など軍需物資の生産を保護したのは、当時のきびしい国際関係の中で、その面で少しでも外国依存を減らす目的もあった。

イングランドがヨーロッパ各地の先進的技術を積極的に導入したことは注目される。まず新毛織物の生産を可能にしたのが、戦乱や宗教的迫害を避けてノリッジやコルチェスタに移住してきたネーデルラントの毛織物の技術者であった。

銅鉱山や炭鉱などには、当時この分野での先進国であったドイツから技術者をよびよせている。ドイツからはこの他にも、火薬製造、印刷、製紙や鋼鉄製造の技術者がよばれており、当時のドイツが技術の先進国であったことを示している。

ガラス製造にはイタリアのヴェネツィアとフランスのノルマンディから、またタピストリー（つづれ織）製造にはフランドルから技術者がよばれた。こうした外国人技術者の指導がなければ、新産業の発展や既存の産業の技術革新はあり得なかったとも思われるほどである。

イングランドでは、すでに農民は土地に束縛されている者はほとんどなく、移動の自由があったので新しく工業に転出することができたし、人口増加もあって労働力供給に不足はなかった。

大いに発展した産業としては前記のものの他に皮革産業、リネンや綿織物製造、鉄工業、造船業、みょうばん製造、陶器や一般消費者向けの石けん、ボタン、針や糸の製造などがあった。

鉄工業とガラス製造にはまだ燃料として木材を用いることが多かったので、その産業の中心地付近では森林の枯渇を引きおこすほどであった。やがてこれに代わって石炭が用いられるようになり、ノッティンガム、ニューカスル付近では炭鉱の開発が一段と進んだ。かなりの石炭がニューカスルから海路で首都ロンドンに運ばれ、家庭用燃料になった。

この石炭と銅・鉛は、海外へ輸出されるほどであった。国王命令で解散された修道院の広い跡地が製鉄所に転用されることも多く、貴族・ジェントリもこうした産業を経営することがあった。鋼鉄製造では有力者による独占権もあらわれてきた。

こうした産業の発展を不況と政府の規制への対応と捉える研究者もいるが、国内産業の創出と改良の実り多い時期とみる者もあり、本格的な工業化の直前に達したイングランドの状態をかなり高く評価する考えもある。

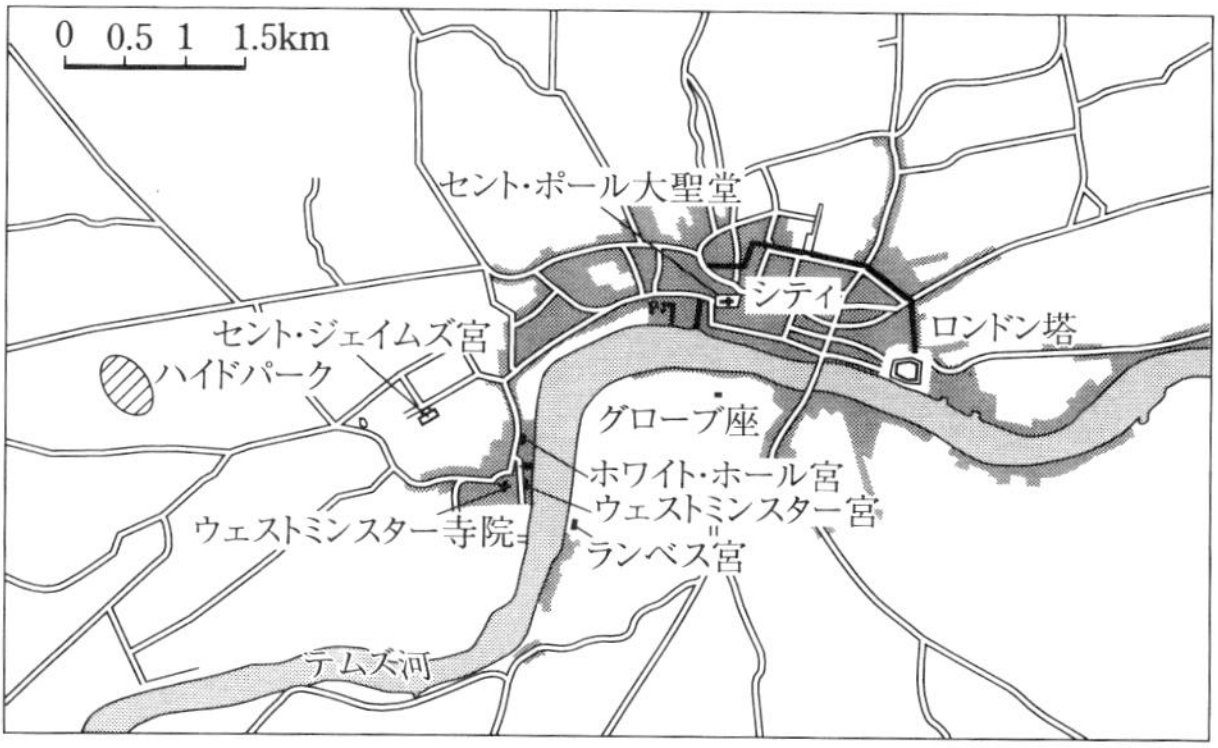

16〜17世紀のロンドン市

巨大化する首都ロンドン

ロンドンの人口は一五二〇年代に六万ほどであったものが八〇年代に一〇万〜一二万、一六〇〇年すぎには一八万五〇〇〇〜二一万五〇〇〇人になったと推定されている。イングランド全体の人口増である三〇〜三五パーセントをはるかに上まわる増加であった。

当時のロンドンとは、主としてテムズ北岸に広がる市壁から八〇〇メートルほどの範囲が市域であり、ウェストミンスターは別の市であった。市域には王宮や政治の中心の施設がおかれていた。

他の西欧諸国では、各々の最大都市に続く人口四万以上の都市が五〜一〇くらい存在していたのに、イングランドではロンドンのみが巨大都市で、人口四万以上の都市は他にはなかった。ロンドンの人口増加は、地方からの移入者たちと多少の外国人移住者によるものであり、前者はロンドンの高い賃金に引きよせられ、後者は外国の宗教的・政治的動乱を逃れた者たちであった。

彼らが市域外に住みついて、ロンドンは外に向かって拡大していくことになった。ロンドンは毛織物輸出で圧倒的な地位をしめており、一六世紀半ばに繊維産業の従事者が人口の四〇パーセントをこえるまでになっていった。

一六世紀後半に毛織物輸出が頭打ちとなり、ロンドンがむしろ外国からの輸入品を扱う中心となっても、ロンドンにはなお増大する人口を吸収できる商工業が興っており、この時期にもロンドンの人口増加は止まってはいなかった。定住者以外にも政治や裁判などの用務でロンドンに滞在する者も多く、上流階級が社交シーズンに集まる習慣もすでに始まっていた。

高い賃金を求めて流入してきた労働人口は、市域外の北部や東部に定住する者が多く、やがてイースト・エンドを形成していくようになる。一方、政治や司法の中心に近い西の市域外やウェストミンスターには、有力者や司法関係者が住みつき、やがてウェスト・エンドを形成していくのである。

ロンドンはイングランド経済の牽引車

エリザベスの即位前後にロンドンの様子を大きく変える原因となったものに、修道院解散がある。ブラックフライアーズ（ドミニコ会修道院）をはじめとする大小の修道院は、すべて国王に接収されて売却あるいは贈与されて有力者の手に渡り、そこに新しい建物が建てられた。

またヨーク大司教やダラム、ノリッジ両司教のロンドンの公邸も国王が接収した。このヨーク大司教館は市域外にあったが、ヘンリ八世によって周辺の土地を多少の区画整理をした後に、さまざまの増築を行って、ホワイトホール宮殿となり、テューダー、ステュアート両王朝の主要な王宮となっていったのである。

ちなみにテューダー王朝は宮廷の所在地としての固定した王宮をもたず、ロンドンのシティ内にブライドウェル宮、ベイナード城、シティ近くにセント・ジェイムズ宮、ウェストミンスター宮、その他いずれもテムズ河沿いの郊外に、東にグリニッジ宮、西南にハンプトン・コート宮をもち、季節や行事によってこれらを使いわけていたのであった。

新しい労働力の流入によってロンドンとその周辺が過密になると、貧民が多く衛生状態の悪い地域が出てくるのも避けられぬことであり、ここに疫病が大流行する危険も潜んでいた。また当時のロンドンの建物の大半は木造であり、シティ内や中心部の土地も不足していたので三～四階建ての建物も多かった。ここに一七世紀の王政復古後の一六六五年に疫病の大流行、翌六六年に大火がおこる背景もあったのである。

実はエリザベス時代の一五六三年にも疫病の流行があって、ロンドンの人口は一時的に減少した。しかし、ロンドンの繁栄が崩れることはなかった。イングランドには全国的市場が成立しつつあり、その国内交易と海外貿易の両方の中心であったロンドンは一五九〇年代の疫病や凶作による危機も乗りきって、発展し続けた。だが、ロンドンの繁栄は地方都市を犠牲にした発展であるという非難もなかったわけではない。

しかしこの非難は、主にロンドンに主導権を奪われた地方の外国貿易港によるものであり、むしろロンドンの繁栄の恩恵を受けた地方都市が多かったようである。ロンドンこそイングランド経済の発展の牽引車であったとみてよいと思われるのである。

2 過渡期のイングランド社会

エリザベス時代の階層社会

エリザベス時代には、かなりの経済発展があったことはすでに見てきたとおりであるが、中世以来の身分的階層秩序は、ほぼそのまま残っていた。

その頂点に立つのは、もちろん女王自身であるが、これに次ぐ貴族については、エリザベスはできる限り新しい貴族をつくらない方針で、彼女の時代には貴族家系はあまり増加していない。

その下に位置するジェントリについては第一章で少し述べたが、ジェントリの上位にいる「州ジェントリ」にナイト、エスクワィアがおり、その下位にいる「教区ジェントリ（あるいは小ジェントリ）」がジェントリの七〇パーセントをしめていた。下院議員や州長官など州の要職をしめるのが州ジェントリであり、教区内の治安や救貧などに責任をもつのが教区ジェントリであった。ジェントリは大部分が地主であったが、大商人、法律家、行政官や地位のある聖職者、大学教授、内科医といった専門職の者たちもジェントリと同等の階層とみなされた。

その下に富裕な農民の「ヨーマン」、それよりやや下の農民である「ハズバンドマン」がいたが、都市や市場町でこれとほぼ同じ階層にあたるのが国内小商人、職人、小売商人であった。さらにその下に農業や工業の賃金労働者が位置づけられ、一番下に住み込み奉公人、徒弟、救貧法による施与《せよ》を受ける者がいたのである。

こうした階層秩序は動かせないものとされていたが、階層間の流動性は高く、たとえばヨーマンが資産を蓄えて土地を購入してジェントリの地位に昇ったり、徒弟や職人が親方になる機会も十分にある活性化された社会であった。

エリザベス自身が宮廷で直接に接していたのは、圧倒的に貴族・ジェントリであったが、当時のイングランド国王は彼らの信頼さえ確保していれば、統治者として十分だったわけではない。農民や都市の商工業者、さらに下の階層の国民からも信頼と支持を得る必要があった。

そのために国王は時折は庶民の前に姿を現して、信頼や人気をかち得ることが必要であった。エリザベスは前女王メアリがきわめて不評であったことも幸いして、戴冠式の行事ですでに国民の人気をつかんだことは前に述べた通りであるが、それで十分だったわけではない。エリザベスも、しばしば国民の前に姿を現す必要があった。

その機会として利用されたのが、夏の地方巡幸などの行事だったのである。

夏の巡幸でつかむ「臣下の真心」

夏の地方巡幸は、いわば国王の夏休みで一種の遊覧旅行であったが、庶民の前にエリザベスが姿をみせる貴重な機会でもあった。期間は一～二ヵ月におよび、王領地の荘園の邸館に滞在することもあったが、有力者の邸館に滞在することもあった。

エリザベスはこれを大いに楽しみにしていたようであるが、これを準備する宮内府の役人などには手間がかかって、さぞ大変だったであろうと思われる。アルマダ戦争前の一〇年間ほど巡幸は中止されていたが、一五九〇年には再開され、エリザベスの死の前年までほぼ毎夏行われていた。

エリザベスは馬か輿《こし》に乗って旅行したが、これは国民に顔が見えるようにするためであった。彼女は沿道の庶民や歓迎行事の接待役に対して、ウィットにあふれた応対をして、人々の心をつかんでいた。そして歓迎に対して心のこもった感謝の言葉も忘れなかった。ノリッジの町を訪れた際にエリザベスが行った別れの挨拶は特に有名であり、彼女は「これだけ多くの好意を心に刻んだので、私は決してノリッジのことは忘れない」と語ったと伝えられている。

歓迎する都市の準備や出費も並々ならぬものであった。コヴェントリは金貨一〇〇ポンドの入ったカップを訪れた女王に贈ったが、市長はその中にはそれ以上のものが入っていると言上した。「それ以上のものとはなにか?」とのエリザベスの問いに、市長は「それは臣下の真心です」と答えたので、エリザベスは贈り物以上に喜んだとのことである。

オクスフォード、ケンブリッジ両大学も訪問したが、女王の巡幸の範囲は、北はスタッフォード、ウースター、南はサウサンプトン、ドーヴァー、西はブリストル、東はノリッジまでであり、北部や最西部にはおよんでいない。エリザベスは死の前年の夏もロンドン周辺の短い旅行ではあったが、ミドルセクス、バッキンガムシャーへの巡幸を行った。

こうした巡幸の効果については、必ずしもエリザベスに好意的ではなかったスペイン大使が、一五六八年の巡幸についてきわめて高く評価していることに注目しておきたい。こうした巡幸以外にもクリスマスの行事や王宮の間の頻繁な移動という時にも、エリザベスは国民に接する機会を大切にしていた。

「甘い言葉」が好き

毎日曜日の宮廷礼拝堂への行列の折りにさえ、エリザベスは周囲の者に優しい言葉をかけたと伝えられている。そうした折りの挨拶や言葉のやりとりは、現代からみればやや大げさなものと感じられるのであるが、エリザベス自身は周囲からの追従《ついしょう》の甘い言葉は決して嫌いではなかったのである。

寵臣のサー・クリストファー・ハットンは女王に「あなたにお仕えする時は天国にいるようですが、あなたがおいでにならないことは私には地獄の責苦以上のものです」とまで言っている。なにもそこまで恋人まがいの言葉まで言わなくてもと思われるが、こうした追従の言葉をエリザベスはかなり喜んでいたようなのである。

したがって、自分の邸館にエリザベスが滞在することが決まると、有力な廷臣も最大級の歓待をせざるを得なかったのであり、饗宴や催し物などを準備し、邸館や庭園を改造してまで女王を接待しようという貴族やジェントリもいたのである。

一五七五年、レスター伯がケニルワース城で行った三週間の女王接待は、六〇〇〇ポンド以上(何万ポンドという額だったとの説もある)を費やした一大歓迎祭典であり、近隣の多くの人々が遠くから見物して後世の語り草ともなっている。当時一一歳のシェイクスピアが、この歓迎祭典を見たと考えられており、彼の「真夏の夜の夢」の叙述にその経験が活かされているともいわれている。

現在のケニルワース城

現代の感覚からすれば、いささか常軌を逸した歓迎ぶりと思われるが、絶対王政期の君主はなにか神秘的な能力をもつ者とされ、エリザベス自身も処女神アストレアになぞらえられたり、その手で触れてもらえば病が治るとさえ考えられたほどであるから、この時代の雰囲気ではこうした歓迎ぶりも不思議ではなかったのかもしれない。

「ジェントリの勃興」

一六世紀には修道院解散によって、国王が広大な土地を手に入れた。しかし、その大半は次々に売却されて主にジェントリの手に落ち、イングランド支配層の主導権は時代の変化に対応できなかった貴族から、勃興したジェントリに移っていったともいわれている。

しかし勃興したのは、時代の変化を有利に活用することができた一部のジェントリのみであったという指摘もある。

〈ジェントリ（一般）の勃興〉を主張した者も、ジェントリにも経営に失敗して没落した者がいて、貴族でも有利な経営を行って成功した者があったことは認めているので、むしろ問題の核心は、当時はどんな経営が有利であったのかを具体的に整理することにあるように思われる。

また、ヨーマンでも有利な経営で上位のジェントリになっていく者があったが、他方でこの時期に下位の農業労働者になった者も多かった。しかし、一八世紀のいわゆる〈農業革命〉の時のように、ヨーマンという階層が消滅してしまうことはなかった。

「有利な経営」とは、どんな経営であったのかを簡単に整理することはできないであろうが、一六～一七世紀は全ヨーロッパ的に概観してみても、市場向けの穀物生産が有利な事業となり得た時代であった。

したがって東欧では、土地に縛りつけられた農奴の賦役《ふえき》労働を用いて行われる農場領主制が発展し、都市人口が増大して自国内の食糧生産では不足気味であった西欧諸国に多くの穀物輸出が行われていたのであった。

前に述べたように、イングランドでは大凶作に直面した時以外は、国内生産で国民の食糧を確保していたので、穀物価格の上昇もあり、集約的な大農場による穀物生産は有利な事業となり得たのである。市場向けの資本主義的な穀物生産をどのように経営すれば有利であったか、それが問題であったものと思われる。

農業以外にも、イングランドでは新しい鉱工業で大きな利益をつかむ機会もあり得た。新しい経営のあり方を模索して成功した者が、貴族・ジェントリ・ヨーマンの別なく勃興したのである。しかし、勃興して社会の指導層にのし上がった者たちの中に、ジェントリが多かったことは認めてもよいのではないかと思われる。それが「ジェントリの勃興」だったのであろう。

貧者を救う法律を整備

一六世紀のイングランドは、大きな社会変動の時代であったことはこれまで述べてきた通りである。それまでの政策では急増するホームレスや貧民の問題に対処できなかったのも当然であった。

また旧教から離れて新教の立場をとったイングランドでは、資産家や有力者が貧民を救済する義務があるという考えは捨てられ、新教の立場から「怠惰から生じる貧困は、神の救済から見捨てられたもの」と考えられるようになった。それまで救貧の中心となっていた修道院は解散され、教会も多くの資産を失っており、さまざまな面から救貧体制を再編成し再建する必要に迫られていたのであった。

ヘンリ八世時代から数度にわたって救貧関係の法令が制定されたが、その根底には二つの考え方があった。一つは、ホームレスをきびしく処罰して物乞い行為をやめさせること、二つ目はどうしても援助が必要な貧困者のみを救済することであった。

しかしイングランドでは、そうした法令を励行する諸制度や必要な施設を欠いていて十分な効果をあげ得ず、いたずらにホームレスへの処罰を重くしたり、物乞いに出身地での み免許を与えるなど、やや奇妙な方策も含む試行錯誤が続いていた。その過程は一五六三年の救貧法について、第二章で多少ふれてきた。

一五九〇年代に入ると、九二〜九三年の疫病流行、九四年以降のこの世紀最悪の凶作によって、新しい救貧体制の確立が急がれ、九八年に体系的な法令が制定された。

まず、働ける能力があるのに怠惰から放浪や物乞いを繰り返す者には、きびしい処罰と矯正院による強制的訓練が定められた（矯正院そのものはすでに一五七〇年代に設立が定められていた）。

　しかしこの時期の失業者の増大を考慮して、職を探して流れ歩く者には寛大な措置がとられ、矯正院などの労働にも賃金支払いが規定された。そして働くことのできない障害者や老齢者に対しては、救貧院への収容による保護を与えることになっていた。こうした業務を進めるためにイングランド国内の各教区に貧民監督官をおくことも定められた。

　こうした全国的な救貧体制は、すでにロンドンやノリッジで行われていた諸施策を国が法制化したものであり、西欧諸国の都市で行われていた事例も参考にされた。やはり都市において貧困者の問題が深刻であったことが、こうした経過からもわかるのである。

　他方、救貧の財源には任意拠出金も受け入れるが、貧民監督官が強制徴収する「救貧税」がイングランドで制度化された。この一五九八年の諸法令は一六〇一年の多少の改正をへて確立され、以後小さな修正はあったが、一八三四年までこの体制が続けられた。エリザベス治世末にイングランドの救貧法は集大成され、産業革命の影響がようやく深刻になる時期まで継続されたのであった。

　また旧教のもとでは神の教えに背くものとして、それまでずっと罪として禁じられてきた利子の徴収も、一五七一年の法令で一〇パーセントまでは法的に許容されるようになった。これも時代の変化への対応であった。

3 深刻な財政難、強まる議会の抵抗

重荷だったアイルランドの反乱鎮圧

すでにイングランドの一五九〇年代は経済的危機の時期であったことにはふれているが、疫病と世紀最悪の凶作を述べたのみであった。

エリザベスにも、ひいてはイングランド国民にも、今一つ大きな問題として財政困難があった。それは戦費支出の膨張が主な原因で悪化したものであったので、エリザベス時代の戦費について多少ふれておこう。

アルマダ戦争やネーデルラント出兵が巨額の戦費を要したことはもちろんであるが、実はエリザベスに最大の支出を強いたのは数度にわたるアイルランド反乱であった。

アイルランドの反乱を鎮圧するために、エリザベスは治世中に二四〇万ポンドあまりを支出したが、ネーデルラント出兵には一四〇万ポンドあまり、アルマダ戦争は事前のカディス攻撃を含めても三三万ポンドあまりであった。アイルランドの反乱鎮圧がいかに重荷

であったか、またアルマダ戦争が大きな国難であったにしては、出費が少ないことがわかるであろう。

エリザベス自身は戦争をひどく嫌っていたが、一五八〇年代の国際情勢は対スペイン戦争を不可避にしていた。アイルランド反乱がくり返しおこって、長引いたことについては第三章で述べたので、ここでは、この時期には新旧両教の対立にからむ紛争は簡単には解決できなかったということのみを述べておきたい。

エリザベス時代の国王財政は、一五七二年に大蔵卿に就任したW・セシル（バーリー卿）の努力によって、スペインとの戦争が避けがたいものになった八四年までに三〇万ポンド近い貯蓄をもつまでに改善されていた。しかしネーデルラント出兵やアルマダ戦争などで、この貯蓄はたちまち五万ポンドあまりに減り、一五九〇年には国の貯蓄はまったく底をついてしまったのである。

エリザベスとバーリー卿は倹約には長《た》けていたが、収入源を見直して増収をはかるとか、関税以外にも恒常的課税を議会に承認させるとかいう努力を欠いており、結果的にイングランドでは税負担が他の西欧諸国に比べて低いという伝統を打破できなかった。

本来、議会の議決により期待できる臨時収入はイングランドでは戦時に徴収するものであったが、エリザベスは平時でもこれに期待せざるを得ない状況にあった。他の分野の統治能力ではかなり評価の高い彼女も、こと国王財政の確立とその健全化となると、失政者であるとみなされることが多いのである。

王領地を切り売り

その後、一五九〇年代半ばまでバーリー卿は必死の努力で一三万ポンドあまりを再び貯蓄したが、大凶作の影響が深刻になった九六年以降に国の貯蓄は再び減少して、毎年、数万ポンドの王領地売却にふみ切らざるを得なくなっていた。

一五九四〜九八年の大凶作の頃には、やがてヨーロッパで凶作に対する有効な対応策となっていった新大陸起源のジャガイモの栽培は、イングランドではまだ行われていなかった。八五年、サー・ウォルター・ローリが新大陸のヴァージニア植民を企てた時、先遣隊がジャガイモとタバコを持ち帰ったが、これがまだブリテン島に定着していなかった。

この一五九〇年代の疫病流行に続く大凶作の際のイングランド政府の対策の中で、九八年の救貧法制定と緊急の食糧輸入は一応評価されるであろうが、食糧暴動が各地で頻発するような危機に対して政府の対策はあまり適切ではなかった。政府は食糧不足や価格高騰を買い占めや売り惜しみが原因であるとして、これを禁止して適正価格での販売を厳重に指示したが、これを守らせる具体的な方策をまったくとらなかったからである。

法令としては、あらためて囲いこみを禁止して耕地の維持をはかる方策がまずイングランド議会で議決されたり、都市の貧民に帰郷をうながす指示を政府が出したりしたが、目前の飢饉《ききん》に対しては速効性のない対策であった。

政府の対策には中世以来の旧来の社会秩序の回復を志向する姿勢が強くみられ、一六世紀後半の急速に変化しつつあった社会に対応する適応性に欠けていた。イングランド庶民の生活水準はこの世紀、最低にまで落ち込んでいったのであった。

独占特許状の乱発

一方、再び悪化した財政のたて直しのために、国王の独占特許状が数多く発行された。本来これは、他国より後れていたイングランドの産業部門で、自国産業を育成するために与えられるものであった。

しかし、特許状発行をうけるために一種の上納金を国王に差し出すものであり、国王の大権事項であったため議会の承認を必要とせず、この財政難の折りにエリザベスの下で濫発されることになった。また廷臣に与えるべき利権が少なくなってきた時、一種の報酬として（すなわち国王の収入にはならないが）独占特許状を与えることもあった。

本来は産業や新技術の開発促進や経済統制のために用いられてきた独占特許状が財政上

の手段として用いられるようになると、独占価格でいくつかの商品の価格をつりあげることになった。それに対する不満はすでに一五九七年のイングランド議会でもあらわれていた。しかしこれがエリザベスと議会との大きな紛争になるのは、治世最後の次の議会においてであった。

戦費調達に反抗する議会

タイローン伯ヒュー・オニールは、本来はイングランドの後押しによって一族の内紛に勝ち抜き、アイルランド北部のダブリン一帯の支配者と認められた人物であったが、その支配権をめぐってイングランド側と対立し、一五九四年から反乱を計画し、スペインに支援を求めて連絡もとっていた。

一五九八年夏、イングランドの派遣軍はアイルランド反乱軍に大敗を喫し、四〇〇〇の兵の半数が戦死するという重大な事態になった。

この時エリザベスは、新たに軍隊を派遣するためにロンドンの銀行家から借入金を受け、当時の寵臣エセックス伯が自らかって出てアイルランド鎮圧に赴いたのであった。この役目に失敗したエセックス伯は失脚して、結局、彼の反逆と身の破滅という事態にまで進むのであるが、それは後でまとめたい。

こうした新たなアイルランド反乱（タイローン伯の乱）を鎮圧するために、エリザベスは議会召集を余儀なくされた。議会を召集すれば再度、独占特許状への不満が出ることも考えられたが、戦費のような巨額な費用の調達にはこの手段しかなかった。

長年にわたり国王財政を担当したバーリー卿は、すでに一五九八年に死去しており、戦費を捻出する特別な方法も見当たらず、エリザベス自身は王領地はおろか彼女がもっている宝石や貴金属さえも売却したといわれている。

アイルランドでは、イングランド側はダブリン周辺のみをかろうじて確保していたが、一六〇〇年末スペインの支援船が着き、翌年秋にはスペイン軍がアイルランド南岸のキンセイルに上陸するという状況で、議会を召集して多額の戦費を議決してもらうことが絶対に必要となった。

こうした状況の中で、一六〇一年一〇月、エリザベス治世最後の議会が開会されたのである。

開会直後から議会は荒れ模様となり、独占特許状への不満が予想通り噴出し、エリザベスが求めている戦費への補助金の議決などには、容易に入れなかった。この議会の反抗は、エリザベスと枢密院の無策によっておこったといってもよいものであった。

すでに四年前の一五九七年議会で独占特許状に不満が出た時、エリザベスはその濫用を

エリザベスと議会

改善すると約束したが、有害な独占を調査する委員会がおかれたのみで事態は何一つ改善されておらず、今や鉄、ガラス、石炭、鉛、塩といった国民生活や産業を支える物資にまで、独占がおよんでいた。

一六〇一年議会で一議員が、「次はパンにも独占特許状が与えられるのではないか！」と叫んだのも、かなりの理由のあることであった。

イングランド下院はこうした不満を請願の形で国王に訴えるよりも、むしろ自らの手で国王大権である独占特許状を賦与する権限を制限する法案をつくる道を選び（もちろん、国王の同意がなければ法令として発布されないが）、強く不満を示した。

「黄金の演説」で議会と和解

事態のなり行きを見守っていたエリザベスは、下院議長を通じて独占の弊害を自ら改善する意向を示し、独占の中のいくつかはただちに廃止し、他のものも十分に再審査されるまで停止すると下院に伝えた。

これによって下院の雰囲気はそれまでの不満と怒りから、たちまちエリザベスへの感謝へと一変した。下院議員たちは、感謝の気持ちをエリザベスに伝えたいと願い出たのである。

エリザベスが下院議員の代表と接見する用意があると伝えると、議員はわれもわれもと参加を希望した。結局、一四〇〜一五〇人もの下院議員が一六〇一年一一月三〇日、下院議長に先導されて、ホワイトホール宮のエリザベスを訪れたのであった。

これらの議員たちを前にエリザベスが行った演説は「黄金の演説」ともよばれて、参列した全議員を大いに感激させたばかりでなく、英国史に長く記憶されることになった。

エリザベスはまず、下院議長や議員たちの感謝を喜んで受け入れる気持ちを示し、

「神が私を高い地位につけられたけれども、あなた方の愛情を得て統治してきたということこそ、私の王冠の栄光《グローリー》であると考えている」

と語った。

ついで、彼女の面前でひざまずいていた議員全員を起立させると、感謝すべき立場にあ

るのは、むしろ女王の方であると述べて、彼らに次のように話したのである。

「私は定められた命以上に長く生きて統治することを望んでいるわけではないが、その統治はあなた方に良きことをはかるべきものである。

あなた方はこれまでもっと力強く賢明な君主をもっていたし、また（これから）もつかもしれないが、私以上にあなた方を愛し心にかける君主を今までもったことはなかったし、これからももつことはないであろう」

老齢（この時六八歳）のエリザベスは、議員たちに会う機会はもうあまりないと考え、枢密議官に帰郷前の議員たちをつれてきて、彼女の手に一人一人キスさせるように伝えさせた。この日の議員たちの感激は一生忘れ得ぬものになったと思われる。

独占特許状の問題は、エリザベスと政府の財政問題の処理の不手際を露呈したものであったが、それさえも女王と議員たち（ひいては国民全体）との連帯感の強化の場にしてしまったことは、エリザベスの優れた政治的な感性を示すものであるとも言えるであろう。たしかに国王大権を傷つけることなく、彼女は議会と和解することができたのである。

まもなく出された「国王宣言」により、最も弊害の大きかった独占特許状は廃止され、その濫用に責任ある者の処罰さえ宣言した。エリザベスは議会にうわべだけの言い逃れをしたのではなく、約束は守ったのであった。

しかし、それによってイングランドの国家財政は悪化の一途をたどることになったのであり、エリザベスが死去した時には、四〇万ポンド以上の借金が後に残ったのであった。

第七章　エリザベスの晩年と死

「彼女は女性であり島国の半分の支配者にすぎないが、スペイン、フランス、神聖ローマ帝国、そしてすべての国から恐れられている」

——ローマ教皇シクストゥス五世がエリザベスを賞賛した言葉から

エリザベスが亡くなった頃のリッチモンド宮殿

1　エリザベスの廷臣と派閥

廷臣二〇〇人

この時代の宮廷は、たんに君主の私邸であるばかりでなく、政治や文化の中心にもなっていた。

中世の宮廷では行政、司法や立法などの機能は分化しておらず、国の統治に関わる政務も、国家財政と明確には分化していない君主の家政も、宮廷内の「チャペル（礼拝堂）」や「チェインバー（広間）」などで処理されていた。

このように政務も家政部門も未分化であったものが、テューダー朝成立後の一六世紀半ばまでにイングランドでは、それまでチェインバーで行われていた国王財政の業務が財務府に独立していったり、大法官が行政上の業務の多くを枢密院と国王秘書（その長が秘書長官）に譲って、司法上の権限だけを残すようにするなど大きな変化がおこってきた。

行政や司法などさまざまの分野が独立した機能をもって、君主の家政から分離して独立の部局となってゆくこの過程を、「行政革命」とよぶ研究者もいるほどである。

そこでイングランドでは、チェインバーはたんに宮廷の行事や儀式を管理する部門となり、宮中の今一つの部門、「ハウスホウルド（家政）」は宮廷の生活必需品調達にあたる部門となった。前者の長官が「宮内卿」、後者の長官が「宮内府長官」とよばれ、この両部門が行政・司法などとは別の宮中の事務を司ることになり、未分化だった政務と家政は分離してきたのであった。

しかし、この時代に事実上の政府となった枢密院を構成するメンバーには、行政や司法の中心となる役職者に加えて、家政担当の宮内府長官なども入っているので、家政と政務の分離は必ずしも徹底してはいないのである。

エリザベスの時代に宮廷に仕えていた者は、およそ一五〇〇人といわれているが、その中で貴族・ジェントリなどの「廷臣」とよばれる者は二〇〇人たらずであり、その中には一〇人ほどの女官も含まれていた。

行政や司法など政務を担当する役人には、大学教育や法学院の法律専門教育（あるいはその両方）を受けている者が多く、法律の専門知識をもたずに重臣となった者はきわめて少ない。また、宗教改革以前にはイングランドに多かった聖職者の重臣もきわめて少ない。

枢密議官では、前女王メアリが任命した者を留任させた例を除けば、カンタベリ大主教ウィットギフトのみがエリザベスが任命した聖職者の枢密議官であった。政務に活躍してエリザベスの宮廷にも出入りする人物は大学教育を受けた法律に明るいジェントリが多く、そこに女王の愛顧を受けた貴族たちが多少混じっているという状況だったのである。

外国からの新しい情報や文化の中心で、華やかな生活が展開されていたエリザベスの宮廷には多くの者が憧れ、そこでの栄達を夢みてなんとか宮廷に近づく機会を狙う者は多かったが、縁故のない者にはまず不可能なことであった。

羨望の的となった廷臣はどんな高収入を得ていたのかと思うが、これを一五七〇年代半ばの表向きの年俸からみると、意外に少ないのである。

高官の年俸と役得

エリザベスの宮廷では、それまで大法官はイングランド政治の中心であっただけに、さすがに一〇〇〇ポンド余りの年俸を得ていたが、今やエリザベスの下で政治の主役となってきた秘書長官は新設まもない職であったが、年俸一〇〇ポンドはいささか少ないように思われる。しかし年金や手当なども多少あり、W・セシルはこの秘書長官についた数年後に、後見裁判所長官にも併任されたので、その給与も受けるようになっていたのである。

しかし、経営に成功したヨーマンならば年収二〇〇〜三〇〇ポンドをあげることもできたエリザベス時代に、政府の要職にある人物がこの程度の年収ではと思われるかもしれないが、実は表向きの俸給以外に、それに数倍する役得がちゃんとあったのである。

当時の社会には贈収賄は犯罪になるという考え方はほとんどなく、紹介や斡旋《あっせん》の労をとった者に対しては、多少の感謝の金品を贈るのは当然のこととされていたので、要職にある者の役得はかなりのものだった。加えて要職につくほどの人物はかなりの土地所有者でもあった（さらに女王から贈与される場合もあった）ので、実際には年収数千ポンドの者も少なくなかったのである。

そうした点を考えに入れないと要職にある役人が、自分の仕事の補佐にかなりの数の私的な秘書をおく習慣があったことは説明できないであろう。セシル父子に仕えたそうした私的秘書の一人は、財をなしてナイトの称号を得たばかりか、廷臣に貸付を行うまでになったといわれている。

一方、宮廷の本当の主人公であったエリザベスは、廷臣や女官に対して家父長的な保護者として振る舞っていた。宮廷には野心的で若い廷臣も多く出入りし、同時に選び抜かれた美しい女官もいたので、そこに恋愛沙汰がおこることも当然あり得た。エリザベスはそうした面での放埒《ほうらつ》な行動にはきわめてきびしかった。

女王に対する忠誠で知られ、エリザベスの足が濡れないように自分のコートを脱いで水たまりに敷いたという伝説をもつサー・ウォルター・ローリでさえ、結婚の意思はあったものの結婚前に女官に子供を産ませたことをエリザベスにとがめられ、ロンドン塔に投獄された。こうしたきびしい処罰を受けたのは彼一人ではなく、エリザベスの命令で宮廷から追放された者もいたほどであった。

エリザベス、二大派閥をあやつる

一五八〇年代末まで、エリザベスの宮廷にはレスター伯とW・セシルが各々率いる二大派閥があった。その二大派閥に属さなくともウォルシンガム（秘書長官）、ハットン（大法官）のように要職についた寵臣もいた。しかしレスター、セシルの二大派閥があったことは、当時の人々に広く知られており、相手の派閥を牽制する書物も出されるほどであった。

能吏として政治の中枢を動かしていた点では、W・セシルが一歩先んじていたとみてよいであろう。レスター伯については第二章の終わりで述べたようにエリザベスの元恋人であり、その関係がなくなった後も寵臣の地位を保っていた。官職としては王室馬寮長（これは宮中第三位の地位）であった。

レスター伯はどちらかといえば武人であり、それ故ネーデルラント出兵の指揮官に起用されたのであった。セシルに比べ、やや慎重さを欠く面がなかったわけではないが、それでも最後まで女王の決定的な不興をこうむるようなことはなかった。

両派閥ともある程度は節度があったために、この対抗は長く続いた。エリザベスも一方の派閥のみに主導権を握らせず、宮廷内の秩序を保って操縦するために、この対抗関係を利用していたとも考えられるのである。

この派閥が機能していたのは、貴族やナイトの称号、独占特許状、年金や有利な王領地貸付などの経済上の利権の斡旋もあったが、やはり最大のものは自派の者を希望する官職につかせることにあったようである。こうした称号、利権、官職を与えるのは最終的には国王であったから、両派の領袖の貢献度に応じて、また両派のバランスを考えて、エリザベス自身がそうした恩恵を与えていたのである。

派閥の役割

こうした形で国王への奉仕の報酬を与えていく宮廷の恩恵分与を「パトロネジ」とよんでいる。臣下に国王への忠誠心に基づく奉仕をうながす仕組みで、軍事力を含む臣下への強制力の点ではフランスやスペインには遠くおよばないイングランドの宮廷が多用した手段であった。国王の恩恵を分与するルートが派閥だったのである。

一五八〇年代末までイングランド宮廷は、この二大派閥の均衡を軸に廷臣たちはエリザベスに忠勤を励んで恩恵の分与を期待する状況が続いており、両派とも自分たちの側に恩恵を独占しようとはしていなかった。

セシルとその一派はどちらかと言えば政務の実権を握り、レスター伯とその一派は宮中で重きをなしていた。しかし一五八〇年代末から九〇年代初めにかけて、両派の均衡に変化が生じてきた。その背景には、相次ぐ重臣の死去があったのである。

すでにアルマダ戦争直後の一五八八年秋にレスター伯が死去したが、九〇年にはウォルシンガム、九一年にはハットンが死去してエリザベスの議会操縦に少なからぬ打撃を与え、一五九〇年代半ばにはハンティンドン伯や宮中で重きをなしていた女王の親族ハンズドン卿やサー・トマス・ヒネジも死去して、女王の身辺は淋しくなってきた。

バーリー卿セシルのみが一五九八年まで生存していたが晩年は病気がちで、宮廷への出仕もままならぬ状態であった。エリザベス治世初期から活躍した有能な補佐役の多くはこの世を去って、新しい時代に入っていた。

若き野心家の登場

この頃には、エリザベスよりはるかに若い世代の者たちが政務や宮中で重きをなすようになっていった。政務に練達の手腕をもつことで台頭してきたのがバーリー卿の次男ロバート・セシル（一五六三年生れ）であり、野心的な〈行動の人〉として宮中に重きをなしてきたのがエセックス伯ロバート・デヴァルー（一五六六年生れ）とサー・ウォルター・ローリ（一五五二年生れ）であった。

バーリー卿セシルの長男も政界には登場したが、やや凡庸な人物であったために父親の後継者とはなり得ず、次男ロバートは幼時から身体に多少の障害があったため、それほど期待されていなかったが、やがて持ち前の実務能力を発揮して頭角を現してきたのであった。

一方〈行動の人〉の側ではローリはあまりにも野心が大きく、新大陸進出などさまざまな方面に夢を追い続けていたので、能吏のロバート・セシルに対抗するのはエセックス伯のみとみられるようになっていた。

彼は父の先代エセックス伯ウォルターの死後、母がレスター伯と再婚したため、その義理の息子となり女王自身とも血縁関係があった。その上に、エセックス伯は若く野心的な美丈夫であったために、人々の人気を集める資質には事欠かなかったのである。

2　寵臣エセックスの反乱

武人エセックスの栄光

エセックスは父の死後一〇歳頃に、初めて宮廷に出仕してエリザベスに会っているが、これは少年時代のことであり、本当に女王の寵臣となったのは彼が一九歳頃、ネーデルラントの戦闘で義父のレスター伯を助けて勇戦し、バナレット騎士に叙せられてからである。一五八七年には義父の後任として王室馬寮長となったが、その前から、しばしば他の廷臣とみさかいなく争いをおこしていた。

まず、かなり年長の廷臣ローリと争いをおこしたし、戦功をたててネーデルラントから帰国した後にも、美青年の騎士C・ブラウントが御前馬上槍試合で妙技をみせて、エリザベスから褒賞を受けた時は、彼を侮辱して決闘さわぎをおこし、エセックスが怪我をするということもあった。

この時、エリザベスは「彼の鼻をへし折って、よりよい作法を教えてやる人がいればよかった。さもないと彼はいい気になって勝手なことをするだろう」といったと伝えられているので、彼女は最初からエセックスの欠点には気づいていたものと思われる。それでもエリザベスは、この若き寵臣を飼いならして、役にたつ廷臣に育てようとした。

一方、エセックス自身は再び大きな戦功をあげる機会を狙っており、一五八九年、ドン・アントニオを支援してポルトガル王位につけようとする遠征軍に、エリザベスの命令も得ないまま、飛び入りで参加して譴責《けんせき》をうけた。

この遠征そのものが、対スペイン戦争の一部であったが、もはやイングランド側にアルマダを迎え撃った前年のような規律や意気ごみはなく、ドン・アントニオをポルトガル王に擁立する目的は達せられなかった。

エセックス伯

その二年後の一五九一年、アンリ四世支援のためのブルターニュ遠征にも、エセックスは女王に嘆願して参加したが、無責任な行動をとって、エリザベスを怒らせただけであった。

能吏セシルと人気者エセックスの争い

それでも一五九三年、エセックスは枢密議官となり人気者でもあったので、ロバート・セシルに対抗する派閥を形成して、自派の者たちを栄達・昇進させようと再三にわたって努力した。この九三年には、空席になろうとしていた法務長官あるいは法務次官の職を自派の野心的な俊才フランシス・ベイコンのために得ようとした。兄アンソニーと共にベイコン兄弟は、国外も含む秘密情報機関をエセックスのためにつくりあげることに努力してくれたからであった。しかし実際に法務長官の後任にエリザベスが指名したのは、セシル一派の推すサー・エドワード・クックであった。

この派閥間争いに敗れたものの、若き貴公子エセックスの人気はきわめて高く、特に都市とその選挙区への彼の影響力は絶大であった。さしものセシル一派も、これには圧倒されるほどであった。さらにエセックスの人気をあげる機会が、一五九六年に訪れた。

一五九六年のカディス遠征こそ、その機会であった。九〇年代半ばにはスペインのフェリペ二世は八八年のアルマダ計画の失敗に復讐する機会を狙っていたが、イングランド側は逆に、かつてアルマダ計画を狂わせたカディス港への攻撃を再び狙っていた。

アルマダ戦争勝利の立役者ハワード卿と共に、エセックスが遠征の準備を進めている最中に、ネーデルラントにいたスペイン軍がフランスのカレー付近に進出して、これを包囲するという緊急事態がおこった。このため、準備中の遠征軍をカレー救出に向かわせようとしたが、すぐカレーの町が陥落してしまったので、やはりカディス攻撃を行うことになった。

この一五九六年は、先に述べたようにイングランドに疫病流行や連続の凶作がおこって、国庫も底をついていた時であった。遠征そのものはカディスを半月にわたって占領し、これを焼き払って勝利を収めたのであったが、期待していた莫大な戦利品獲得を（その機会があったにもかかわらず）逃したのでエリザベスはいささか不満であった。しかし、ロンドンの民衆は狂喜して勝利者を迎え、エセックスは得意の絶頂にたったのであった。

しかし彼のカディス遠征中に、ライヴァルのロバート・セシルはエリザベスによって正式に秘書長官に任命されていた。

心中穏やかでなかったエセックスに対して、この当時、彼の派閥にいたフランシス・ベイコンは「人気に頼らないようにすること、統御できない性質の人間だと思われないようにすること」をエセックスに書簡で忠告している。

ベイコンは、自派の領袖の性格について感じていた不安を率直に述べたようである。しかしエセックスのやり方や性格は、簡単に変わるようなものではなかった。

アイルランド鎮圧に失敗

一五九八年には第六章で述べたように、アイルランドでタイローン伯の乱が重大化し、誰を総督に派遣すべきかが問題となっていた同年七月、エセックスは宮廷で女王と言い争いをして、彼女から平手打ちをくい、激怒して立ち去ると、病気と称して宮廷に出仕しないという騒ぎをおこした。

そのせいか、エセックスが就任を望んでいた収入の多い後見裁判所長官の役には、またしてもロバート・セシルが任命された。エセックスはこの不利な状況から形勢を挽回して女王の寵臣としての立場を守るために、一つ大きな戦功を夢みる立場にたたされた。

一五九八年八月末、エセックスは誰もが敬遠していたアイルランド総督を自ら引き受け、この苦境にエリザベスと枢密院がなんとか用意した一万七〇〇〇余りの兵を率いて、翌年の九九年三月、アイルランドに向かった。彼の使命は、アイルランド北部のアルスター地方を支配するタイローン伯の反乱軍を正面から攻撃して撃破することであった。

失敗は許されぬ立場にあったにもかかわらずエセックスは、現地の不利な状況とイングランド軍への補給の遅れもあってアルスター攻撃をためらい、申し訳ばかりの小競り合いをしただけで、半年後の九九年九月にはタイローン伯と勝手に和約を結ぶと、エリザベスの許可も得ないで帰国してしまった。その結果、エセックスは宮廷から排除されて自邸で監視下におかれ、枢密議官は公式に彼の失敗を非難する演説を行った。

翌一六〇〇年六月に、エセックスは枢密議官による特別委員会に召喚されて、服従・恭順の意を表する機会を与えられ、女王が彼の処罰を免除する道が開かれた。エリザベスは、この状況でもなお廷臣としての職務に復帰できる道をエセックスに残しておきたかったようである。

一応厳罰は免れたものの、やはり遠征失敗の責任を問われた寵臣エセックスは事実上、失脚したのであった。

あっけない反乱とエセックスの刑死

エセックスはアイルランドで進退きわまった時、すでに指揮下の軍の中から自分に忠誠を誓う者を選抜してロンドンに戻り、彼のライヴァルであるセシル一派を「君側の奸《かん》」として排除する宮廷内クーデタ計画をたてていたともいわれている。

一六〇〇年秋には、エセックスに大きな収入をもたらしていた甘ぶどう酒の輸入関税請負の特許状の期限がきれて、その特権は更新されないまま彼から奪われてしまった。

大きな収入源を断たれたエセックスは、再び宮廷内のクーデタをおこすことを考え始めた。エセックスが決起すれば、これに加わる貴族も多く、ロンドン市民も支持するだろうと彼は甘い期待を抱いたのであった。

翌一六〇一年の二月、エセックスは仲間と謀議して宮廷とロンドンのシティ、ロンドン塔を制圧し、「セシル派の政府高官を追放せよ」とエリザベスに強要する計画をたてた。

実は、この計画内容は謀議中から政府当局にもれており、枢密院はエセックスに出頭を命じた。しかし彼は出頭命令を拒否すると、「私の命を狙う陰謀が企てられている。女王の下へ行くのだ！」と叫びながら、わずかの同志を率いて武装して自邸から出ると、ロンドン市内の宮廷へと向かったのである。

秘書長官ロバート・セシルを長とする政府当局の対応は素早かった。「エセックス決起」の知らせを受けると、たちまち彼を反逆者と断定し、武装した軍隊を出動させた。州長官もロンドンの民衆も支持しないのを知ったエセックスらは自邸に引き返そうとしたが、進退きわまった彼は降伏した。こうしてエセックスの反乱は、あっけなく未遂に終わった。

一週間後に始まった裁判では、かつてはエセックスの派閥の懐刀であったフランシス・ベイコンが彼を断罪する検事役に立ったのであった。有罪を宣告されたエセックスは一六〇一年二月末、ロンドン塔の中庭で断頭台に上ったが、時に三四歳の若さであった。

裁判中はなお尊大で芝居がかった態度をとっていたエセックスも、処刑に臨んでは敬虔な態度であったと伝えられている。かくしてエリザベスが期待をかけていた、貴族たるにふさわしい教養と若駒のような奔放さとを併せ持った寵臣エセックスは、自らの統御しがたい性格のゆえに、わが身を滅ぼしたのである。

エセックスを女王の恋人であったかのように描いている小説もあるが、子どもを生涯もたなかったエリザベスにとって、彼はわがまま息子代わりの存在ではなかったかと筆者は思うのである。いつかは良き廷臣に成長して、セシル派と並びたつ一派の領袖になることをエリザベスは期待していたのではあるまいか。

3　エリザベス死す

女王の晩年と死

エセックス処刑後のエリザベスの宮廷は、一五九六年、正式に秘書長官に就任していた能吏セシルによって動かされていて、平穏ではあったが、かつての荒々しいほどの活力は失われてしまった。彼は人気の点でライヴァルのエセックスに及ばなかったようである。エリザベスが対抗する派閥の間で均衡をとり、廷臣を操縦していくという手法もとり得なくなっていた。

エリザベス自身もエセックスを甘やかしてしまったことが、結局彼の没落につながったことを悔いる気持ちをもらしていたと伝えられている。

エセックスの処刑後、ロンドンの民衆に不穏な動きがあったことは事実である。演劇のパトロンでもあったエセックスが処刑、その一派のサウサンプトン伯はロンドン塔幽閉という運命をたどったことは、シェイクスピアなどに深刻な衝撃を与えていた。エリザベスより十数年後まで生きた彼がエリザベスを登場させる戯曲を書かなかった一因は、こんなところにあるのかもしれない。

一六〇二年一一月にはエリザベスの治世四四年を祝う行事があり、翌一二月にはホワイトホール宮で恒例のクリスマスを祝った頃までは、彼女もかなり元気であった。

この年は国王財政の困難はあい変わらずであったが、一六〇三年一月にはアイルランドの情勢は好転して、反乱支援のスペイン軍を、三月末にはイングランド派遣軍のマウントジョイ卿が破って降伏させた。まだタイローン伯は屈服していなかったものの、その反乱は終わりに近づきつつあった。

また一六〇三年六月にはリスボンの近くで、ポルトガルの大型武装商船を敵艦隊の面前で拿捕するという一五八〇年代の栄光を思いおこさせる戦果もあった。国際情勢もやや好転して、イングランドに脅威を与えるものではなくなりつつあった。

一六〇三年一月、冬の悪天候の中をリッチモンド宮に移動した頃から、エリザベスの健康状態は急に悪化した。三月に入るとエリザベスは薬や食事も受けつけなくなり、医師の指示に従わずベッドに寝ることさえ拒否して、クッションの上に身を横たえていたといわれている。

スコットランド王をイングランド国王に

セシルはすでに、スコットランド国王ジェイムズ六世がイングランドの新国王となることを宣言する布告を用意して、その原案をスコットランド国王の下へ送っていたようである。

エリザベスは一六〇三年三月二四日に六九歳で死去したが、その前に彼女がジェイムズを王位継承者に指名していたかどうかは明確ではない。

ジェイムズは母メアリ・ステュアートがイングランドで処刑されたにもかかわらず、イングランド王位を兼ねることを大いに期待していたようである。この王位継承を無事に成功させたのは、やはりセシルの努力によるものであった。彼はエリザベス治世末の困難な問題を自分で背負ったまま、イングランド新国王ジェイムズ一世にも政界の実力者として仕えることになるのである。

こうしてエリザベスの死去によって、テューダー王朝はヘンリ七世以来、三世代五人の国王で終わりをつげ、スコットランドのステュアート王家がイングランドの王位を兼ねることになった。この時はまだ同君連合の形ではあったが、やがてこれが王国合同に進展して、私たちが知っている大ブリテン王国（グレイト・ブリテン）を形成していくのである。

エリザベスの激しい気性、賢明な行動

ここで四四年余りの長い治世を終えたエリザベスの性格を少しふり返ってみたい。

父ヘンリ八世も母アン・ブーリンもともに、かなり奔放な気性の激しい性格であったようである。エリザベスも本来そうした両親の激しい気性を受けついでいたらしく、廷臣などにも、しばしば激しい感情を爆発させている。上機嫌だったのが急に不機嫌になるという感情の起伏の大きさも、父ヘンリ八世に似ている。

エリザベスは、父王に比べると廷臣の扱い方には忍耐強かったが、それでも女王の権威をないがしろにするような臣下の態度は容赦しなかった。やはり絶対王政期の君主が守るべき一線であったとも考えられる。この一線をふみ越えたことで、きびしい叱責をうけたのがエセックス伯であろう。

ヘンリ八世が廷臣のウルジー、トマス・モアやトマス・クロムウェルに対してとった酷薄な態度に比べると、罪を犯した臣下へのエリザベスの態度の方が温情があるように思われる。彼女は戦争とか処刑といった血なまぐさいことを嫌悪していたようである。

本来、激しい気性をもっていたエリザベスであるが、ここぞという肝心の時に冷静・沈着で賢明な判断を下すことができた。アルマダ戦争の時や晩年の独占特許状問題の処理の際にも、エリザベスは賢明な判断、為政者としての優れた感性を示した。なにが彼女の賢明さを育てたのであろうか?

筆者はこれには二つの背景があると考えている。

第一は幼時から即位にいたるまでのエリザベスがへた苦難の人生経験、第二にはきわめて高度な人文主義的教育によってはぐくまれた彼女の知性である。これらがあったために危急の場合にもエリザベスは冷静で的確な判断を下すことができ、平常の場合でも、もっともその場に適したウィットに富む対応ができたのであろう。

いりまじる欠点と美点

しかし良い面ばかりもみていられない。エリザベスの気まぐれに悩まされた廷臣は多かったし、外交上、必要とあらば空とぼけ、返答を引きのばし、嘘をつくことさえ辞さなかった(外交ともなればこれらも彼女の賢明さとみるべきなのであろうが)。

それに父王ヘンリ八世や後継者のジェイムズ一世に比べると、決して気前のよい方ではなく、むしろ祖父ヘンリ七世の吝嗇《りんしょく》の性癖を受けついでいたとも言えるほどである。つまり彼女は、国王としては「けち」であった。これは心ならずも莫大な戦費を支出せねばならなかったからかもしれない。

臣下から、お世辞や追従を言われるのが大好きであったというのは、エリザベスのみの欠点というよりは、あえて当時の風潮とも絶対王政期以降の宮廷の通弊ともいうべきものと筆者は思うのである。そして、本書に紹介したいくつかのエリザベスの挨拶や演説の中には、彼女がもっていた誠意や真実味があふれている。それらの美点を、大いに認めるべきと考えるのは筆者だけであろうか。

4 大英帝国発展への基礎

国際的な難局を克服

一六世紀のヨーロッパの国際情勢の中ではイングランドは一小国にすぎず、二大強国フランス、スペインの間でいかに生きのびていくかが大きな課題であったことは、すでに再三述べてきた。

これに加えてドイツに始まった宗教改革によって、大陸では新旧両教の激しい対立もおこり、その渦の中にイングランドがまきこまれる危険もあった。この宗教的対立は、なお新旧両教の和解が模索されていた一六世紀半ばまでは、イングランドに大きな圧力となってのしかかってきてはいなかった。まだこの国の宗教も動揺を続けていたのである。

エリザベスがまさに即位した頃は、フランス（ヴァロア朝）とスペイン（ハプスブルク朝）の対立は一段落し、いよいよ旧教側が新教側に対してまき返しを図る反宗教改革が進められようとしていた。その反宗教改革の中心は、宗教的にはもちろんローマ教皇庁であったが、新教側を圧迫する武力の中心はスペインであった。

即位直後のエリザベスはできる限り強国スペインとの対決を避け、フェリペ二世のフランスへの警戒心も利用して、フランスと結んでイングランドに対抗しようとするスコットランドから、フランス勢力を排除することに成功した。

この時まではテューダー朝の方針であるスペインと結ぶ一方で、フランスと結ぶスコットランドに対抗するというイングランドの伝統的な外交政策を続けていたと言ってよいように思われる。

しかし、スペインがネーデルラントへの圧迫を強め新教徒弾圧を強化すると、エリザベスはやむを得ず大国スペインとの対決にしだいに深入りしていくことになる。それでもエリザベスが何度もこの対決を回避しようとしたことは、第三章、第四章で述べてきた通りである。しかし再三の対立回避の努力も実らず、ついにアルマダ戦争にいたったのである。

その後はイングランドは、ネーデルラント連邦共和国として独立への道を固めつつあったオランダ、ユグノー戦争の収拾をはかるアンリ四世のフランスの二国と結んで、強硬な反宗教改革路線をとるスペインに三国で対抗するようになる。

これはヨーロッパ国際政治の覇権を狙うスペインに対して英・仏・オランダが共同戦線を形成して対抗するという、いわゆる勢力均衡の原理が働いたとみることができる。

大国スペインのイングランドへの圧力は一六世紀末には小さくなってきてはいたが、なおアルマダ再来というべき攻撃があり、アイルランド反乱支援という形でエリザベスの治世末期まで続いていた。このようにみてくると、イングランドが深刻な財政難の中でも、ネーデルラント連邦共和国とフランスのアンリ四世への支援を止めるわけにはいかなかったことが理解されるであろう。それ故に財政難もますます悪化していったのである。

このようにしてイングランドは、エリザベス時代にフランス、スペイン両大国の圧力をなんとか乗り切って、国際情勢の難局を克服することができた。このことがエリザベス時代を〈栄光の時代〉とみる考え方を後に定着させる背景となったのである。

イングランド発展への底力

すでに述べてきたようにイングランド経済は、エリザベス時代にはむしろ苦境にあったといってもよく、その打開のためにさまざまな対策をとっていたところであった。また疫病や凶作で時折かなりの社会不安もおこっていた。経済・社会の面ではとても〈栄光の時代〉といえるような状況ではなかった。しかしあらゆる面でイングランドが停滞していたわけではない。

やはり一大国難であったアルマダ戦争にエリザベスが勝利をおさめることができたのは、造船業や国内の武器生産、その基礎となる鉄工業の発展にみるべきものがあったからである。これがイングランド商船隊の増強にもつながり、この時代にはまだ地中海やバルト海進出の方が利益をあげたにとどまったようであるが、アフリカ西岸やインド、新大陸への進出も試みられて、来るべき海外発展への基礎は築かれつつあった。

第六章でまとめたように、エリザベス時代の経済がやや苦境であったために、新しい鉱工業の技術革新もあり、停滞していた毛織物業でも「新毛織物」の開発が行われたのであった。モスクワ会社や東インド会社でとられたジョイント・ストック・カンパニ（合本会社）も商業・貿易上の新技術への試みとみてもよいと思われる。

またすでに強調してきたように、何度かは大きな凶作に見舞われながらも、農業生産が増大する人口をほぼ養い得るほどに拡大したことも、将来のイングランドの経済発展の大きな基礎となったと考えられる。このようにすぐさま経済の繁栄をもたらすものではなかったにせよ、将来の発展の基礎はつくられつつあったとみてよいと思われる。

しかしこれが順調に上昇し続けて、イングランドの産業革命に直接つながっていったわけではない。一七世紀には今一度、大きな経済停滞と革命という大きな動乱をくぐり抜けなければならなかったのである。

このようにエリザベスが後に残した問題である財政難、議会における発言の自由の問題、イングランド、スコットランドの合同の問題、ピューリタンなど急進的改革派の国教会批判の問題などは、一七世紀のピューリタン革命や王政復古の時期に、その解決が模索され、ようやく名誉革命期になってアイルランド問題を除き、一応の解決をみることになる。

そして一七世紀末になると、政治的安定をとり戻したイングランドは、エリザベス時代にすでに基礎がつくられていたその底力を開花させて、英仏海峡を隔てた一島国からヨーロッパの大国への道を進み、世界最初の産業革命を開始し、やがて大英帝国の発展へとつき進んでいくことになるのである。

しかし、そこに至るにはエリザベスの死後、なお二〇〇年余りの歴史の経過が必要だったのである。

エピローグ

「人の真価が定まるのは死んでからだ」
――シェイクスピア「ヘンリー四世・第二部」から

エリザベスゆかりの地

エリザベスの生涯をたどってきた後で、彼女ゆかりの史跡を訪ねてみたい。

まず、エリザベス誕生の地であるグリニッジは、旧天文台の所在地、世界標準時の起点として有名であるが、古くからイングランドの海外発展の拠点であり、国立海事博物館を訪れるとそれを実感することができる。

本書でとりあげてきたヘンリ八世以降の四人の国王の中で、エドワード六世のみがハンプトン・コート宮殿で生まれているが、他の三人はグリニッジで生まれている。

ハンプトン・コートはロンドン南西のテムズ河畔に現存する豪華な宮殿で、一五二九年までは、枢機卿で大法官でもあったウルジーの私邸(一五一四年造営)であった。ヘンリ八世の信頼を失いかけた彼が、あわてて国王に献上して以来、王室の宮殿となった。エリザベスが一番嫌っていた宮殿は、このハンプトン・コートであったといわれている。彼女が最も好んだのは、ナンサッチ宮殿(ナンサッチは「これほどのものは他にない」の意味)であったが、これは現存していない。

ロンドンのシティの近くには、エリザベスが一時収監されていた名高いロンドン塔がある。彼女はホワイトホール宮殿に長く滞在しているが、現在訪れても彼女の足跡を示すものは何も残っていない。

ハットフィールドからリッチモンドへ

ロンドンの北三五キロメートルほどにあるハットフィールドには、若いエリザベスが即位直前までの多くを過ごしたハットフィールド館（ハウス）がある。彼女の住居はR・セシルが建てた新館ではなく、旧館（オールド・パレス）であるが、ここは一般公開されていない。現在公開されている新館には、エリザベスの有名な二つの肖像画（「レインボウ・ポートレイト」とヒリアードが描いた「アーミン・ポートレイト」）や多くのゆかりの品が展示されているので、彼女に関心のある人なら一度は訪れてみたい場所であろう。

レスター伯がエリザベスの夏の巡幸を歓迎して、一大祭典を催したケニルワース城も訪れてみたい史跡であるが（コヴェントリからバスの便がある）、一七世紀の革命期に王党派側に砦として利用されることを恐れた議会派軍が爆破してしまったので、現在はその廃墟が残っているだけである。

エリザベス終焉の地であるリッチモンドは、筆者も一九九九年夏にはじめて訪れた。キュー・ガーデンズの次の地下鉄駅から徒歩七〜八分で、リッチモンド・グリーンという緑地の広場に出るが、ここがかつて王宮の主要な部分があった場所のようである。

その近くに王宮遺構（パレス・リメインズ）が、テムズ河畔に残っているのみである。ここはヒースロー空港が近いせいか、離着陸する飛行機が頻繁に低空を通り過ぎていく。

テムズ河にかかる橋の上から、かつて豪華なリッチモンド宮殿のあったと思われる方向を眺めるうちに、現代とエリザベスの時代に横たわる四〇〇年余りの時の移り変わりに読者も思いを深めることができるのではなかろうか。

かつてリッチモンド宮殿があった場所の眺め
(テムズ河の橋上から)

おわりに

エリザベスの死後、一六二〇年代に後継者ジェイムズ一世が親スペイン政策を取りはじめると、スペインと対決したと見られていたエリザベスの人気が急に高まってきた。この評価が後のイギリス革命期にも引きつがれ、エリザベス崇拝、彼女の治世を〈栄光の時代〉とみる神話ともいうべきものが、しだいに定着してきた。

しかしエリザベスの治世への高い評価が、いつも続いていたわけではない。一八世紀の哲学者で歴史家でもあるD・ヒュームは、彼女の治世をきびしく批判した。こうしたエリザベス批判の伝統は、今日のイギリスまで継承されており、一九九八年に出版された次の書物は、そうした批判の近年の傾向を示すものといってよいであろう。

Julia M. Walker (ed.), *Dissing Elizabeth: Negative Representation of Gloriana*

今ひとつ、本書で筆者が「国家と結婚した女王」という、かなり一般に知られている言い方に、一切ふれなかったことについて一言しておきたい。エリザベスは「私は国家と結婚している」といったかもしれないが、それは戴冠式における国王の言葉として語ったのである。これは戴冠式の折りの決まり文句というべきもので、男性の君主も同様の発言をしている。彼女がこの言葉を語ったとしても、それは生涯独身を通すことを即位にあたって宣言したものでないことはいうまでもない。

エリザベス一世についてさらに多くを知りたい読者のために、以下の書物をあげておく。

植村雅彦『エリザベス一世』歴史新書〈西洋史〉　ニュートンプレス　一九八一年

C・ヒバート（山本史郎訳）『女王エリザベス』上・下　原書房　一九九八年

L・ストレイチー（福田逸訳）『エリザベスとエセックス』中公文庫　一九九九年

本書をまとめることができたのは、先達の方々の学恩の賜物である。筆者の大学院時代にご指導いただいたイギリス史の松浦高嶺先生、イギリス教会史の故八代崇先生、それに卒業論文作成当時からご指導いただいた今井宏先生の学恩は特に忘れがたい。植村雅彦先生、多田幸蔵先生からはテューダー朝研究、エリザベス朝の文化について広くご助言をいただいた。もし本書に誤りや不適切があった場合は、まったく筆者のいたらなさによるものであり、忌憚なくご指摘をお願いしたい。また本書の企画を講談社に取りつぐ労をとられ、ご鞭撻もいただいた畏友西尾幹二氏、講談社学芸第二出版部の林辺光慶、同第一出版部の田辺瑞雄の各氏にも心からの感謝を申し上げる。

●ラ行

●ワ行

●マ行

●ヤ行

●ナ行

●ハ行

●タ行

●サ行

●カ行

索引（五十音順）

●ア行

N.D.C.233.051　262p　18cm
ISBN4-06-149486-4

講談社現代新書　1486

エリザベス一世《せい》　大英帝国の幕あけ

二〇〇〇年一月二〇日第一刷発行　二〇一九年一一月七日第九刷発行

著　者　青木道彦《あおきみちひこ》　©Michihiko Aoki 2000

発行者　渡瀬昌彦

発行所　株式会社講談社
東京都文京区音羽二丁目一二―二一　郵便番号一一二―八〇〇一

電　話　〇三―五三九五―三五二一　編集（現代新書）
〇三―五三九五―四四一五　販売
〇三―五三九五―三六一五　業務

装幀者　中島英樹

印刷所　豊国印刷株式会社

製本所　株式会社国宝社

定価はカバーに表示してあります　Printed in Japan

「講談社現代新書」の刊行にあたって

教養は万人が身をもって養い創造すべきものであって、一部の専門家の占有物として、ただ一方的に人々の手もとに配布され伝達されうるものではありません。

しかし、不幸にしてわが国の現状では、教養の重要な養いとなるべき書物は、ほとんど講壇からの天下りや単なる解説に終始し、知識技術を真剣に希求する青少年・学生・一般民衆の根本的な疑問や興味は、けっして十分に答えられ、解きほぐされ、手引きされることがありません。万人の内奥から発した真正の教養への芽ばえが、こうして放置され、むなしく滅びさる運命にゆだねられているのです。

このことは、中・高校だけで教育をおわる人々の成長をはばんでいるだけでなく、大学に進んだり、インテリと目されたりする人々の精神力の健康さえもむしばみ、わが国の文化の実質をまことに脆弱なものにしています。単なる博識以上の根強い思索力・判断力、および確かな技術にささえられた教養を必要とする日本の将来にとって、これは真剣に憂慮されなければならない事態であるといわなければなりません。

わたしたちの「講談社現代新書」は、この事態の克服を意図して計画されたものです。これによってわたしたちは、講壇からの天下りでもなく、単なる解説書でもない、もっぱら万人の魂に生ずる初発的かつ根本的な問題をとらえ、掘り起こし、手引きし、しかも最新の知識への展望を万人に確立させる書物を、新しく世の中に送り出したいと念願しています。

わたしたちは、創業以来民衆を対象とする啓蒙の仕事に専心してきた講談社にとって、これこそもっともふさわしい課題であり、伝統ある出版社としての義務でもあると考えているのです。

一九六四年四月　野間省一